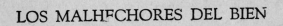

LOS MALHECHORES DEL BIEN

THE MACMILLAN HISPANIC SERIES

Edited by the late J. P. Wickersham Crawford, Professor of Romanic Languages, and Otis H. Green, Associate Professor of Romanic Languages, in the University of Pennsylvania.

ELEMENTARY

GIL BLAS DE SANTILLANA
Edited by J. P. W. Crawford (*for beginners*)

CUENTOS HUMORÍSTICOS ESPAÑOLES
By Juan Cano. Edited by E. Goggio (*for beginners*)

TALES OF SPANISH AMERICA
Edited by M. A. DeVitis and D. Torreyson (*for beginners*)

LA VIDA DE UN PÍCARO
By Juan Cano

LOS ABENCERRAJES
By J. P. W. Crawford

A CARA O CRUZ (Palacio Valdés)
Edited by Glenn Barr

EL DIABLO BLANCO (Oteyza)
Edited by Willis K. Jones

UNA APUESTA and HUYENDO DEL PEREJIL (Tamayo y Baus)
Edited by Cony Sturgis and Juanita C. Robinson

EASY MODERN SPANISH LYRICS
Edited by M. A. DeVitis and D. Torreyson

CONCHITA ARGÜELLO
By Aurelio M. Espinosa

INTERMEDIATE

INTERMEDIATE SPANISH COMPOSITION
By E. Allison Peers

PEPITA JIMÉNEZ (Valera)
Edited by M. A. DeVitis and D. Torreyson

COMEDIA Y DRAMA (Álvarez Quintero)
Edited by Agnes M. Brady

EL SOMBRERO DE TRES PICOS (Alarcón)
Edited by J. P. W. Crawford

THE MACMILLAN HISPANIC SERIES

Edited by the late J. P. WICKERSHAM CRAWFORD, Professor of Romanic Languages, and OTIS H. GREEN, Associate Professor of Romanic Languages, in the University of Pennsylvania.

JACINTO BENAVENTE

LOS MALHECHORES DEL BIEN

por
JACINTO BENAVENTE

Authorized Edition

Edited with

Introduction, Notes and Vocabulary

BY

IRVING A. LEONARD
PROFESSOR OF SPANISH AMERICAN LITERATURE
UNIVERSITY OF MICHIGAN

AND

ROBERT K. SPAULDING
ASSOCIATE PROFESSOR OF SPANISH
UNIVERSITY OF CALIFORNIA, BERKELEY

𝔑𝔢𝔴 𝔜𝔬𝔯𝔨
THE MACMILLAN COMPANY

SET UP AND ELECTROTYPED BY THE LANCASTER PRESS, INC.
PRINTED IN THE UNITED STATES OF AMERICA

PREFACE

In the conviction that too few of the works of the most outstanding of contemporary Spanish playwrights are available for class-room use in the schools of the United States, we have selected *Los malhechores del bien* of Sr. Jacinto Benavente to present in suitable form. This play is representative of the great dramatist in his best period and offers no important linguistic difficulties to students in intermediate classes in Spanish. The serious note which prevails in so many of Benavente's best plays is here relieved by his wit and good humor, which will appeal to the American student.

In the preparation of this text we have followed the third edition (1924) with but a few changes in the capitalization and punctuation. This edition has been checked with the text in the *Teatro*, tomo XII, cuarta edición, 1920.

It is with pleasure that we make our grateful acknowledgment to Sr. Benavente who kindly authorized us to prepare this edition for school use. We wish, also, to express our indebtedness to our colleagues, Mr. Federico Sánchez and Dr. Hermenegildo Corbató, who have assisted us by their discussion and information. And we owe an especial debt of gratitude to Professor Otis H. Green for the careful editing of notes and vocabulary which he has generously given us.

I. A. L.
R. K. S.

BERKELEY, CALIFORNIA
December, 1932

CONTENTS

INTRODUCTION

I. Scope of Benavente's Work

Even the casual student of Spain's literature will be struck by the extraordinary versatility and fecundity of many of its writers. The prodigiously rich production of the great dramatist of the Golden Age of Spanish literature, Lope de Vega (1562–1635), whose inspiration seemed to overflow continuously like an uncapped well, is a matter of common knowledge. If his name did not overshadow that of every other Spanish writer in this respect, a host of others might be cited who, in the literature of any other country, would be regarded as remarkable. Not the least important of these literary figures of apparently inexhaustible inspiration and perhaps one of the most interesting, is the contemporary dramatist, Jacinto Benavente y Martínez, who must be reckoned among the foremost of Europe today in his art.[1]

His extraordinary productiveness is indicated by the fact that at the present time he is the author of more than a hundred dramatic compositions, which does not take into account the many volumes of essays and criticism accredited to his pen. Within the limits of the dramatic art, which is his proper sphere, his versatility is truly remarkable, for he has cultivated nearly all forms, from the monologue (*Cuento inmoral*) to the five-act drama (*Los andrajos de la púrpura*), including the comic skit (*No fumadores*) and the full length farce (*Las cigarras hormigas*), the sainete (*Todos somos unos*), and the libretto

[1] Sr. Benavente received the Nobel Prize for literature in 1922.

of *zarzuelas*, a sort of musical comedy. The only form apparently not attempted is that of poetic drama.

The themes of his plays have been even more varied, ranging through all social classes from the rustic (*Señora ama*), the middle-class (*Al natural*), to the aristocratic (*Gente conocida*). He has written lurid melodrama (*Los ojos de los muertos*), the symbolic drama (*Sacrificios*), crass realism (*La malquerida*), the moral and philosophic play (*Campo de armiño*), and also what one critic [2] calls the patriotic *comedia* (*La ciudad alegre y confiada*). In nearly all of these the genius of Benavente displays itself in a complete mastery of the technique of the stage and the art of dialogue.

II. Plays of the Early and Middle Period

Jacinto Benavente was born in Madrid in 1866, and was the son of a physician whose work among children so endeared him to the *madrileños* that they have erected a statue in the beautiful city park, El Buen Retiro, in their capital, to perpetuate his memory. The noble character of the father and his love for children made a profound impression upon Benavente, and undoubtedly inspired him at a later date to devote some of his time and energy to the creation of a children's theater in Madrid, and to the writing of several dramatic compositions suitable for such an audience (*El príncipe que todo lo aprendió en los libros,* 1909; *Ganarse la vida,* 1909; *El nietecito,* 1910). He took up the study of law in the University of Madrid, but did so, apparently, with little enthusiasm, for shortly after his father's death in 1885, he turned entirely to literary activities, which his comfortable economic circumstances readily permitted.

[2] Ramón Pérez de Ayala, *Las Máscaras.* vol. I, page 112.

To his art he brought to bear a wide reading of both classic and modern literature, especially the drama. He read systematically the works of the greatest European dramatists and manifested a profound respect for Shakespeare, particularly.[3] This extensive familiarity with great dramatic compositions, coupled with an unrestrained fondness for the theater, which displayed itself at an early age in the production of puppet-shows and playlets in his childhood home, soon turned him to the stage.

While a book of verses really represents his earliest literary effort, his *Teatro fantástico* (1892) is chronologically the first of his publications. The latter is a collection of "vague and hazy dreams," as their author characterizes them, in which Benavente gave clear indications of his mastery of Spanish prose. In 1893 the young writer published another justly famous work which indicated how keen was Benavente's power of observation and how well he understood the heart of women. This little book, entitled *Cartas de Mujeres*, shows that sympathetic understanding of the feminine mind which he was to reveal again and again in his characters upon the stage.

The real career of the dramatist may be said to begin in 1894, when his first play, *El nido ajeno*, was produced in Madrid. This newcomer in the Spanish theater, then dominated by the towering figures of Echegaray and Galdós, did not at first claim much attention, but his next play, *Gente conocida*, attracted greater notice, as it foreshadowed something new, something almost revolutionary on the Spanish stage. The latter was by this time ripe for a revolt from the unreal characters, the improbable situations, and the melodramatic manner of Eche-

[3] Walter Starkie, *Jacinto Benavente*, page 23.

garay (1832–1916), and the strongly satiric tone of Benavente's early plays afforded a sharp contrast.

The four acts of *Gente conocida* (1896) consist of a series of pitilessly drawn pictures of the life of high society, whose members, for all their cynical cleverness, are no match against character, when their strength is brought into conflict with that impregnable virtue, *la aristocracia individual*, exemplified in the figure of Angelita. This play bears the subtitle *Escenas de la vida moderna*, and its form, calling for no dénouement and scarcely dramatic in the conventional sense, was borrowed, as Benavente himself admits,[4] from modern French dramatists such as Lavedan. The Spanish playwright has more than once used this same device subsequently (*La princesa Bebé, Hacia la verdad*). *La gobernadora* (1901) portrays provincial political life with all its corruption and hypocrisy. The unfortunate governor, Don Santiago, finds himself constantly at odds with selfish local interests; he epitomizes, in a way, the difficulties that confront the official who occupies a public position. A lighter comedy is *Al natural* (1903), whose two acts attempt to prove the thesis that people are best understood and appear to best advantage in their natural environment. Comparable to this is the one-act *De cerca* (1909), whose theme is the better mutual understanding resulting from the closer association of the humble and the lofty.

Of quite different tone are several of Benavente's plays which have the slightly hazy locale of an operetta, though spiced with allusions to European politics, together with a cosmopolitan air and characters representing all shades of a decadent society: aristocrats, intellectuals, adven-

4 See the *Teatro*, vol. I, page 86.

turers and denizens of the underworld who, without exception, are cynical and disillusioned creatures. The first of this group in point of time and notoriety is *La noche del sábado* (1903). Its basic idea is the escape from reality (on Saturday night, when witches ride).[5] In the words of Imperia: "Para realizar algo grande en la vida hay que destruir la realidad; apartar sus fantasmas que nos cierran el paso; seguir, como única realidad, el camino de nuestros sueños hacia lo ideal, donde vuelan las almas en su noche de sábado." (Act V, scene 10.) For Princess Bebé, bound by the ties of the past, by the duties of her rank, happiness is the only truth; and the quest of this elusive objective is the subject of the play of the same name, *La princesa Bebé*, (1904). Less striking is *La escuela de las princesas* (1909). Here sacrifice, attention to duty, is the only reality; by these alone can one approach felicity. "Pobre Princesa . . . si cuando el amor te falte no hallas en el deber la única realidad." (Act II, scene 7.) "No, la felicidad no existe, yo soy el sacrificio . . . pero de cuantas apariencias encubren la felicidad, soy la más verdadera." (Act III, scene 15.) Such plays as these, in which one notes the recurring theme of sacrifice (particularly in the latter two), are characterized by a symbolic manner and an artificial atmosphere.

In direct contrast, in its realism, is *Rosas de otoño* (1905), a play which is still performed frequently upon the Spanish stage. Isabel, the long-suffering wife (perhaps we are too conscious of her patience and resignation) finally wins her "autumn roses" of happiness when her husband, a hardened roué, is turned from his ways by the apparent repetition of faithlessness which he finds

[5] Cf. Act II, scene 2, near the end.

in his daughter's marriage. Another play in which a note of pessimism and seriousness is dominant is *Más fuerte que el amor* (1906), wherein is glorified the feminine sense of compassion, which is more powerful than pride of birth and more potent than love. A later play of similar tone may be mentioned here: *Por las nubes* (1909), in which Don Hilario himself asks indulgence for his lengthy moralizing (Act I, scene 7.) Here Benavente recommends that youth seek its fortune in new fields rather than stifle in an enervating atmosphere of tradition, for the future is ever greater than the past.

By common consent *Los intereses creados* (1907) is the acknowledged masterpiece of Benavente's dramatic work. This two-act comedy, known in English translation as the "Bonds of Interest," with its conventional characters taken from the Italian *commedia dell' arte*, tells a simple love story in a novel way. For some its central idea is the essential sordidness of life, the pessimistic acknowledgment of the necessity of evil [6] or, at least, the admission that good can not be accomplished without the concomitance of evil. This discouraging thought is relieved somewhat by recalling that human affections, which are eternal, can, upon occasion, rise above man's inherent baseness. [7]

Benavente's favorite among his numerous works is *Señora Ama* (1908), a study of the psychology of a peasant woman who takes a certain pride in the infidelities of her husband, since she alone as his wife can truly

[6] Cf. Federico de Onís, *Jacinto Benavente: Estudio Literario*, pages 29–32.

[7] Some critics regard the final speech alluding to the redeeming qualities of love as merely a sop tossed to the audience. Cf. Erasmo Buceta, "En torno de 'Los intereses creados,'" *Hispania* (California), IV (1920), 220. For a more optimistic point of view cf. E. Gómez de Baquero, *La España Moderna*, vol. XX, no. 1 (1908), pages 169–177.

claim him as her own. This continues as long as she is
childless, but later her complacency vanishes at the
thought of her son, and she is resolutely determined that
the swarm of sychophants about her husband shall not
consume the child's inheritance. *La malquerida* (1913),
known in English as "The Passion Flower," tends to-
ward the melodramatic. The theme is a version of the
story of Phaedra and Hippolytus with the position of the
sexes reversed. In Benavente's drama it is the guilty
love of a step-father and step-daughter, Esteban and
Acacia, the *malquerida*. This play is, perhaps, the author's best known and was exceedingly popular when
acted in America. Dealing with a tragedy of peasant
life and approaching a conventionality of form more
closely than most of Benavente's plays,[8] it recalls the
realism and intensity of manner of the Catalán dramatist,
Guimerá. Like *Señora Ama*, it is written in the dialect
of the Castilian peasant.

There is another group of plays where action is reduced
almost to a minimum, speeches are long and numerous,
and where Benavente subordinates everything to his ideas.
Thus in *La propia estimación* (1915) Aurelio can not stoop
to take advantage of the opportunity to win the woman
he loves, for the preservation of one's self-respect is of
greater worth than the satisfaction of one's desires.
The stainless integrity of the family escutcheon yields
place to womanly compassion in *Campo de armiño* (1916),
where Irene, the proud Marchioness of Montalbán, bids
her brother's baseborn son, Gerardo, cast into the flames
the proofs of his birth. "Cuando somos actores en
nuestra propia vida, entonces, entonces es sólo el corazón,

[8] Cf. George Tyler Northup, *An Introduction to Spanish Literature*,
Chicago. 1925, page 426.

es sólo el instinto el que nos mueve." (Act III, scene 5.)
El mal que nos hacen (1917) is a study of jealousy and its
consequences, which is, perhaps, summed up in these
words, quoted from the play: " Para aceptar el mal que
nos hacen necesitamos comprender que es nuestro castigo
el castigo de un mal que hemos hecho; no sabemos comprender que el mal que nos hacen sin haberlo merecido,
el mal que nosotros hacemos a quien no lo merece, es
casi siempre la venganza del mal que otros hicieron."
(Act I, scene 7.) This is reminiscent of Aurelio's speech
in *La propia estimación:* "Nos quieren como queremos,
lo que nos mienten es lo que hemos mentido, lo que nos
falta es lo que hemos robado, el dolor que nos hiere es
el dolor con que hemos herido, la alegría que viene a
llenarnos de bondad el alma es la bondad nuestra que
antes llenó de alegría otras almas." (Act II, scene 3.)
Such disquisitions are often profoundly interesting, but
can scarcely be regarded as suitable for dramatic compositions where the attention of the audience must be held.
It is not surprising to learn, therefore, that Benavente is
an advocate of the reading of plays and, on occasions,
has published his dramatic productions before their first
performance.

In later plays we find the author returning to previous
ideas and amplifying them more fully. In *Alfilerazos*, a
short three-act play first performed in Buenos Aires in
1925, we witness the disillusionment of an *indiano* who
has spent his life in acquiring the means of dispensing
charity, only to find himself thwarted by the "pin-
pricks" of those whose ill-will he incurs. " ¡Pobre de ti
si, al hacer bien a todos, has hecho bien al enemigo de
alguien!" (End of Act I.) " ¡Alfilerazos! pero uno, y
otro, y otro hieren como una puñalada." (Act III,

scene 6.) [9] In this play, too, as well as in *Pepa Doncel* (1928), the false idea of charity and the hypocrisy of over-zealous members of benevolent organizations are satirized somewhat after the manner of *Los malhechores del bien.*

In nearly all of Benavente's plays we perceive a pre-occupation with ideas and a consequent subordination of character, with the result that in all his vast production there are few figures who linger in clear outline in one's recollection. "The subject of Jacinto Benavente," it has been said,[10] "is the struggle of love against poverty, of obligation against desire, of imputed virtue against the consciousness of sin," to which may be added as a corollary the recurring theme of individual sacrifice present in so many plays. His concern with these imponderable qualities of life results in an often pronounced tendency to moralize and to place interminable monologues in the mouths of his characters. His youthful love of playing with puppets is, perhaps, faithfully reflected in some of his maturer plays, where his figures often move stiffly as if controlled completely by the master's coldly intellectual mind. It is not difficult to believe Benavente when he writes: "I do not make my plays for the public; I make the public for my plays."[11] It is proof of his genius that he has been able to do this consistently and win for himself the high place in public esteem which he unquestionably holds. In the exposition of these ideas it is apparent that he makes effective use of the tools of satire and irony; not infrequently there

[9] Cf. *Gente conocida:* "Esta gente . . . que no asesina ni mata de un golpe, sino muy poco a poco en fuerza de alfilerazos, que, sumados bien valen una puñalada." (Act IV, scene 16.)

[10] John Garrett Underhill, *Plays by Jacinto Benavente*, First series, Introduction, xxiv.

[11] *Ibid.*, xi.

is the note of cynicism and pessimistic disillusionment of a sophisticated observer. Yet with all his seriousness, he is by no means devoid of humor and possesses a surprising readiness in repartee which is plainly evident in *Los malhechores del bien*.

III. Los malhechores del bien

Some indications have already been given relating to the diversity of themes around which the versatile genius of Benavente shapes his plays. To this list should be added the "comedy of manners." In the long record of the dramatist's productions this type is possibly best illustrated by the play here offered, entitled *Los malhechores del bien* (1905), which may be translated freely as "The Perverters of Good."

In this dramatic composition, which belongs to the author's best period, one may observe the keen observation and satiric tendency which characterizes so many of Benavente's plays, yet, in this instance, the satire is less coldly intellectual than is often the case, and the dramatist's irony is relieved by a clever display of wit and an essential good humor. It is not the carping critic who delights to make his victims squirm under the bitter lash of stinging sarcasm, but rather the amused, almost tolerant prodding of an intelligent observer. The efforts of well-intentioned but unenlightened ladies in a small community to regulate the lives and personal conduct of their fellow-townsmen, particularly those of humbler degree, are vividly portrayed through the mouth of that incorrigible scoffer, Heliodoro, who is dependent upon the bounty of his sister, the Marchioness. The latter is the leader of an aggressive circle of middle-aged ladies who take it upon themselves, through their control of local charity, to organize and direct the moral welfare of the inhabitants of the small seaside town. This extends to a dictation of the dress, habits, and amusements of the community, and even to the arranging of marriages of convenience with little consideration for the inclinations and desires of the principals concerned.

It is this unhappy custom in Spanish life—the marriage of convenience, that is, marriages in which material factors are the deciding element in the choice of a mate— towards which Benavente particularly turns his guns in this play, and for this purpose he makes effective use of the likeable rascal, Heliodoro. Though one may feel that this wag is merely the mouthpiece of the author himself and that his frequently long speeches may be counted as a defect of the play, one comes to look forward, nevertheless, to the next utterance of Heliodoro, which is sure to be spiced with clever witticisms anent the hypocrisy and meddlesome disposition of these "good" ladies, these "perverters of good," who are so seriously and self-righteously bent on the promotion of the welfare of their self-assumed charges. Their serene assurance in their ability to arrange the domestic felicity of their protégés is wittily and scathingly denounced by Heliodoro, who takes sly delight in upsetting their well-laid plans and in helping the victims of such charity to follow out their own honest inclinations.

It is said that the first presentation of this play in Madrid created something of a furore, and that many ladies who were prominent in the society of the capital and active in charity work arose and left during the performance.[12] Some of these threatened to withdraw their patronage from the Lara Theater if such plays were

[12] *Ibid.*, xvii.

produced there.[13]   It was thought that some of the ideas set forth were radical and revolutionary, but so rapid has been the transformation in social concepts during recent years that one will wonder what was found in this play to have perturbed the audience that witnessed the *estreno* of this comedy; it is likely that even in Spain to-day the presentation of a similar play would scarcely cause a ripple in the most pious and refined of circles.

Los malhechores del bien, then, stands as a representative play of Benavente, a comedy of manners.   Though it is a "satire of complacency, of those fruits of religion which are not things of the spirit," [14] it is amusing and mirth-provoking and not without that gentle touch of sentiment which renders it far more palatable to the general reader than many of Benavente's plays.

IV. PLAYS OF RECENT DATE

It can not be said that Benavente's plays of recent years have added materially to the reputation of the great dramatist.[15]   There has been a growing tendency of late to become more and more discursive and doctrinary, while the themes occasionally seem decadent; too often the characters of recent plays have been more than usually colorless figures merely serving, apparently, as a medium of expression of the author's ideas and lacking any real vitality of their own.

[13] E. Gómez de Baquero, "Crónica literaria," *La España Moderna,* vol. XVIII, no. 1 (January, 1906), page 166.

[14] Underhill, *loc. cit.*

[15] ". . . su teatro, que había llegado en *La malquerida* al ápice del éxito y de la emoción, decaía en producciones manifiestamente inferiores a las comedias que hicieron de Benavente un Lope menor de su época, el rey de los autores dramáticos."   E. Gómez de Baquero, *Nacionalismo e hispanismo,* Madrid, 1928, page 101.

Perhaps the most interesting of these later productions, because of the impression that it created at the time of its first performance, is that entitled *Para el cielo y los altares,* staged the latter part of November, 1928, in Madrid. It is a three-act drama divided into thirteen *cuadros,* or scenes, and an epilogue. The whole is more adapted, it would seem, for reading than for acting upon the stage, since much of its action is merely related by various characters of the play. The slight plot shapes itself about the figure of a friar or monk who is reputed to have effected certain miraculous cures among the humbler classes. The queen of the unnamed country in which the action takes place urges the king to call in this miracle-working ecclesiastic to cure their child, who is grievously ill. The king is unwilling because his ministers have declared that they will resign if the sovereign accedes to the wishes of his queen; they fear that an attempted cure of this sort would cause foreign nations to comment on the backwardness and ecclesiastical domination of the country. The queen, however, calls in the friar, who is able to bring about a complete cure. The general rejoicing soon subsides as the ministry resigns and the new government feels obliged to exile the religious communities, including the monk who had performed the miracle. The epilogue represents a period long after the events of the play, when the friar has been canonized and the populace, indifferent to or only vaguely comprehending the significance of the saint, is celebrating with carousals and drunkenness the day set aside to honor him.

Possibly owing to a certain resemblance to the situation of the royal family and the general state of affairs in Spain, coupled with thinly veiled allusions to the existing régime, the performance of this play was promptly prohibited by the Dictator, Primo de Rivera.[16] The latter was visited the next day by Benavente himself, who stoutly denied that either in this play or in an earlier one, *Pepa Doncel*, had it been his purpose to raise any religious issues or make allusions to existing national conditions. He declared that it was the Russian revolution, the Czarovitch, and the monk Rasputin, of unpleasant recollection, that had, in fact, been the source of his inspiration.[17]

Notwithstanding this plausible explanation, the ban on the performance of this play was not lifted by the dictatorship, although no objections were offered to its publication and sale. The theme had struck a responsive chord in the feelings of the public, and the prohibition of the play together with the growing hatred of the government of Primo de Rivera combined to make Benavente momentarily a popular idol and a national hero. He was showered with letters of approval from all classes of society and was fêted with an enthusiastic *homenaje*, in the course of which his most famous past successes, including *Los malhechores del bien*, were performed in rapid succession in the various theaters of Madrid.[18] Thus it may be said that in a measure this distinguished dramatist contributed to the downfall of the Spanish dictatorship, which took place early in 1930.

Benavente's subsequent plays have not received the resounding acclaim of *Para el cielo y los altares*, nor have they been of direct or indirect political significance, though some remarks in his productions since the advent of the second Spanish Republic have given slight offense

[16] C. E. Kany, "Un homenaje a Benavente," *Bulletin of Spanish Studies*, vol. VII, No. 26 (April, 1930).

[17] *Ibid.*

[18] *Ibid.*

to the advocates of the new order.[19] A serious drama in
five acts, *Los andrajos de la púrpura*, first performed in
the Muñoz Seca theater of Madrid on November 6, 1930,
is said to have been inspired by the unhappy love affair of
the Italian poet and adventurer D'Annunzio and the
actress Eleonora Duse.[20] With his accustomed mastery
of feminine psychology, Benavente depicts the suffering
of the celebrated actress, Laura Dolenti, beloved for her
philanthropy as well as her histrionic gifts, after her
break with her lover, Renato, a playwright. More to
enable her to continue her charities than for any other
reason, she reluctantly accepts a contract to appear in the
United States pressed upon her by a "Mister Morrison"
(who speaks wretched Spanish). Her heart is broken,
however, and, unable to fulfil her contract, she dies at
the end of the last act.

De muy buena familia, first staged in the same theater
as *Los andrajos de la púrpura* on March 11, 1931, deals
with the waywardness of the sons and daughters of even
the "best" families, and is, apparently, a protest against
the frivolity and lack of restraint of modern youth; it
lays especial emphasis upon the duties which devolve
upon parents in this newer age. This play was soon
followed by another three-act *comedia* entitled *Literatura*,
whose stay upon the boards was unusually short.

The last two plays from the pen of Benavente to be performed in Madrid are *La melodía del jazz-band* and *Cuando
los hijos de Eva no son los hijos de Adán;* they were pro-

[19] Cf. review of Benavente's *La melodía del jazz-band* by Antonio
Espina in the newspaper *Crisol* (now called *Luz*), Madrid (Oct. 31,
1931).

[20] In dedicating this play to the talented actress, María Palou,
Benavente writes: "Desde el eternal seguro, en donde asiste el espíritu
de Eleonora Duse, habrá llegado hasta usted un mensaje: '¡Salud,
hermana, gracias¡' ¿Qué puedo yo añadir?"

duced in Madrid within a week of each other.[21] The first is a three-act *comedia* with a prologue. The plot is slight and is fully comprehended by the end of the first act. It is concerned chiefly with a woman of passionate impulses, Lucila, who triumphs over her baser nature and even over her genuine love, to keep the home of another intact. It again indicates Benavente's profound if intellectual understanding of feminine psychology early visible in his *Cartas de mujeres*. Once again we see the dramatist's preoccupation with the familiar theme of sacrifice and we are reminded of his earlier play, *La propia estimación*.

Cuando los hijos de Eva no son los hijos de Adán presents the problem of the love of two young people who are ignorant of the fact that they are half-brother and sister. In this dramatic composition Benavente puts forth the ideas that children should not be compelled to expiate the sins of the fathers according to the Biblical tradition, and that the claims of consanguinity should only be recognized when brothers and sisters have been brought up in the same medium, have been educated in the same manner and have rejoiced or suffered together under the same domestic roof.[22] The play rather sags at the end, as a cluttering of more or less unrelated disquisitions neutralizes the dramatic effect produced earlier in the act.

As it has been said that no man can state whether he has had a happy life or not until he leaves it, so it is impossible to appraise the whole work of a writer such as

[21] *La melodía del jazz-band* was first performed in the Teatro Fontalba, Madrid, Oct. 30, 1931 and *Cuando los hijos de Eva no son los hijos de Adán* in the Teatro Calderón, Madrid, Nov. 5, 1931. Since the above was written the following plays have been produced in October and November, 1932: *Santa Rusia*, *La duquesa gitana*, and *La moral del divorcio*.

[22] Cf. review of this play by Antonio Espina in *Crisol* (November 7, 1931).

Benavente until all of it is completed. The proper perspective can not be obtained if the author is still actively producing, as is the case with this Spanish dramatist. If it is true, as it undoubtedly is, that in his later period there is a more pronounced tendency to moralize and to be preoccupied by doctrinal and moral matters, it cannot be denied that Jacinto Benavente, in the long series of dramatic productions which has issued from his pen, has created here and there a work of lasting merit, and one or more which can be included permanently among the finest creations of the Spanish theater.

I. A. L.
R. K. S.

BIBLIOGRAPHY

Benavente, Jacinto, *Teatro*, 34 volumes, 1904- .

————, "The Playwright's Mind," *Yale Review*, XIII (1923), 43–62.

Bell, A. F. G., *Contemporary Spanish Literature*, New York, 1925, 160–171.

Bonilla y San Martín, Adolfo, "Jacinto Benavente," *Ateneo*, I (1906), 27–40.

Bueno, Manuel, *Teatro Español Contemporáneo*, Madrid, 1909, 129–177.

Cejador, Julio, *Historia de la lengua y literatura castellana*, X (1919), 226–261.

Gómez de Baquero, Eduardo, "Los malhechores del bien," *La España Moderna*, XVIII, I (1906), 160–166.

Lázaro, Angel, *Jacinto Benavente, De su vida y de su obra*, Paris, 1925.

————, *Biografía de Jacinto Benavente*, Madrid, 1930 (*El Libro del Pueblo*, núm. II, serie IX–2).

Martin, Henry M., Jacinto Benavente, *¡A ver qué hace un hombre!* and *Por las nubes*, edited with introduction, notes, exercises, and vocabulary, New York, 1931.

Mérimée, E.-Morley, S. Griswold, *A History of Spanish Literature*, New York, n.d. [1930], 533–534.

Northup, G. T., *Introduction to Spanish Literature*, Chicago, n.d. [1925], 423–426.

Onís, Federico de, "Jacinto Benavente," *North American Review*, CCXVII (1923), 357–364.

————, *Jacinto Benavente, Estudio literario*, New York, 1923 (Instituto de las Españas).

Pérez de Ayala, Ramón, *Las Máscaras*, tomo I, Madrid, 1924, 91–198.

Romera-Navarro, Miguel, *Historia de la literatura española*, New York, n.d. [1928], 634–638.

Starkie, W., *Jacinto Benavente*, Oxford-New York, 1924.

Underhill, J. G., *Plays by Jacinto Benavente* . . . translated from the Spanish, 4 series, New York, 1919–1924.

Van Horne, J., *Tres Comedias* . . . por Jacinto Benavente, New York, n.d. [1918].

JACINTO BENAVENTE

Premio Nobel de Literatura del año 1922

LOS MALHECHORES DEL BIEN

COMEDIA EN DOS ACTOS Y EN PROSA

Estrenada en el TEATRO LARA el día 1.º de diciembre
de 1905

REPARTO

PERSONAJES		ACTORES
La Marquesa viuda de Casa-Molina..	Sra.	Valverde.
Doña Esperanza....................	—	Rodríguez.
Asunción.........................	Srta.	Alba.
Teresa............................	—	Domus.
Natividad........................	Sra.	Ruiz.
La Repelona......................	—	Beltrán.
Una Criada.......................	Srta.	García Roch
Don Heliodoro....................	Sr.	Rubio.
Jesús.............................	—	Calle.
Martín...........................	—	Pacheco.
Enrique..........................	—	Barraycoa.
El Marqués de Santo Toribio......	—	La Riva.
Don Francisquito.................	—	Zorrilla.
Cabrera..........................	—	Simó Raso.
Un Criado........................	—	Iglesias.

La acción en un pueblo puerto de mar.—Época actual.

ACTO PRIMERO

Sala en casa de la MARQUESA *viuda de Casa-Molina*

ESCENA I

LA MARQUESA DE CASA-MOLINA *y* DON FRANCISQUITO

FRANCIS.—¿Manda otra cosa la señora Marquesa?

MARQUESA.—Nada, don Francisquito; que estén listas todas esas cuentas antes de la Junta de esta tarde. ¿Ha comprobado usted los bonos devueltos? No tengamos lo del mes pasado.

FRANCIS.—Descuide la señora Marquesa. Desde que las señoras de la Junta, con muy buen acuerdo, han decidido que sirva los bonos el otro Zurita, no volverá a suceder.

MARQUESA.—¿Pero se ha cambiado de almacén? Siempre dijeron que el de Zurita era el mejor.

FRANCIS.—Sí, señora Marquesa; pero es que hay dos Zuritas en comestibles, dos hermanos; un Zurita es el bueno, pero ése es el malo.

MARQUESA.—No comprendo. . . .

FRANCIS.—Es el bueno, porque tiene los mejores géneros; pero es el malo, porque es un hombre sin religión y sin conciencia, que les roba a ustedes sin escrúpulo, sin mirar que es de los pobres el dinero de ustedes.

MARQUESA.—Cierto. ¿Y ahora se ha cambiado?

FRANCIS.—Sí, señora; por el otro Zurita, que es el que dicen todos el malo, porque no tiene el almacén tan bien surtido; pero es el bueno; un santo varón incapaz de lucrarse malamente.

MARQUESA.—Ahora lo entiendo; el malo es el que tiene la tienda buena y el bueno es el que tiene la tienda mala.

FRANCIS.—Sí, señora Marquesa.

MARQUESA.—Y de ése nos surtimos ahora: me parece muy bien.

FRANCIS.—Lo acordaron las señoras en la última Junta. La señora Marquesa no estaba aquí todavía; pero me extraña que no le hayan dicho nada a la señora Marquesa.

MARQUESA.—Me lo habrán dicho, pero no me he enterado, con esa confusión; los dos Zuritas: el bueno, que es el malo; el malo, que es el bueno. ¡Ay, *todo sea por Dios, y lo que cuesta hacer bien y qué poco le ayudan a una! . . .

FRANCIS.—Sí, señora, sí; hay muy poca religión y muy poca caridad y poquísima conciencia. Pensar que muchos de los que socorren ustedes son los primeros en hablar pestes. . . .

MARQUESA.—¡Cómo ha de ser! El bien se hace por Dios; de la gente ya sabe uno lo que puede esperar, malas palabras y peores obras. No descuide usted esas cuentas.

FRANCIS.—De ningún modo, señora Marquesa. (*Vase por *segunda derecha.)

ESCENA II

La MARQUESA y ENRIQUE por la primera derecha

ENRIQUE.—Buenos días, mamá. (*La besa la mano.)

MARQUESA.— ¡Hijo mío!

ENRIQUE.—¿Cómo has pasado la noche?

* The asterisk indicates that the word or phrase following is explained in the Notes.

MARQUESA.—Bien. Y tú, ¿cómo estás? ¿No has sentido hoy el dolor de cabeza al levantarte?

ENRIQUE.—No, mamá.

MARQUESA.—¿Tomaste a media noche el medio vaso de leche y las dos galletas?

ENRIQUE.—No, mamá.

MARQUESA.—¿Por qué?

ENRIQUE.—Porque no me he despertado en toda la noche.

MARQUESA.—Así te levantas luego tan débil. Tendré yo que entrar a despertarte para que te alimentes.

ENRIQUE.—No, mamá.

MARQUESA.—¿Por qué?

ENRIQUE.—Porque luego no me duermo y prefiero dormir. ¿Y los primos no se han levantado todavía?

MARQUESA.—No. Estarán cansados del viaje. Desde París hay un tirón, y en Madrid no se detuvieron nada.

ENRIQUE.—¿Duermen en la misma habitación?

MARQUESA.—Naturalmente: ¡un matrimonio! ¡Qué pregunta!

ENRIQUE.—Es que anoche *oí yo a mi prima que en París, en el hotel, habían tenido dos habitaciones.

MARQUESA.—¿Dijo eso? Me choca. ¡Cosas de París!

ENRIQUE.—Y también dijo que en todas partes los tomaban por padre c hija, menos una vez que los tomaron. . . .

MARQUESA.—¿Por hermanos?

ENRIQUE.—No . . . ; por . . . , Teresita lo dijo.

MARQUESA.—¡Qué disparate! Tu prima Teresa tiene unas bromas . . . , porque todo es broma. No es tanta la diferencia de edad; ni ella es tan joven, ni su marido es tan viejo.

ENRIQUE.—Es que mi primo político es tan feo. . . .

Marquesa.—Han dado en decir que es feo; yo no lo encuentro tan feo para hombre: en cambio es un santo, un hombre ideal, de los que ya no quedan, y Teresita nunca alabará a Dios bastante por la suerte que le ha deparado.   Una muchacha sin posición, después de la catástrofe de su casa. . . .

Enrique.—La prima es muy guapa, ¿verdad?

Marquesa.—Demasiado.   No debía procurar parecerlo tanto.   Viste de un modo muy impropio.   Aquí no debe vestirse de ese modo si no quiere ponerse en ridículo.   Ya se lo diremos.

Enrique.—¿Van a estar aquí mucho tiempo?

Marquesa.—Muy poco; mientras les arreglan su casa de *Moraleda.

Enrique.—¡Ah!   ¿Van a vivir en Moraleda?

Marquesa.—¡Naturalmente!

Enrique.—Yo creí que vivirían en Madrid.

Marquesa.—¡Qué disparate!   Juanito no se ha casado con tu prima para vivir en Madrid.   Allí se necesita mucho dinero para sostener una posición decorosa.   En Moraleda pueden ser los primeros si tu prima sabe conducirse; pero Teresita ha tenido siempre muy poco juicio, lo mismo que tu pobre tío Ramón, Dios le haya perdonado, *¡cabeza más destornillada!; así arruinó su casa y nos dió a todos tantos disgustos; como tu tío Heliodoro, mi otro querido hermano, vivo y fuerte a Dios gracias. ¡Ay!   Muy triste es decirlo, pero en nuestra familia los hombres han valido muy poco; por algo tengo yo siempre miedo. . . .

Enrique.—¿A qué?   ¿A que sea yo malo?

Marquesa.—¿Tú?   ¡No, ángel mío!   Tú eres muy bueno, lo serás siempre.   ¿Verdad que sí?   Sobre tu buen natural, la educación y el ejemplo hacen mucho.   Tiempo tendrás de ver el mundo cuando llegues a edad razonable; pero entretanto seguirás en nuestra vida patriarcal: ocho meses del año en Moraleda, los otros cuatro aquí, en este pueblo tranquilo, frente al mar, y dejémonos de Madrid, lejos, lejos de esa Babilonia. Bastantes cuidados me 5 costó sacarte adelante, con lo delicado que naciste; gracias a esta vida ordenada; y ya que la salud del cuerpo parece asegurada, atendamos a la del alma, que importa más y se pierde más pronto. Me parece que el matrimonio se ha levantado ya; sí, es Juanito. 10

Enrique.—Espero para saludarle.

ESCENA III

Dichos y el Marqués de Santo Toribio por la izquierda

Marqués.—¡Querida tía! ¿Cómo has pasado la noche?

Marquesa.—Muy bien; ¿y vosotros? ¿Habéis dormido? ¿No habéis extrañado la cama?

Marqués.—Nada, nada. *Yo, en un sueño toda la 15 noche. Cansadillo del viaje a pesar del *sleeping*. Yo no sé dormir en el tren. . . . ¡Hola, Enriquito, muy buenos días!

Enrique.—Muy buenos días, primo. ¿Y Teresita?

Marqués.—Concluye de peinarse. Saldrá en seguida. 20

Marquesa.—¿Qué desayuno queréis que os preparen?

Marqués.—Cualquier cosa. El que os sirvan a vosotros.

Marquesa.—A nosotros chocolate con bizcochos. Pero si preferís otra cosa. . . . 25

Marqués.—No, no; chocolate.

Marquesa.—Enrique, di que preparen chocolate. (*Vase* Enrique *por la izquierda.*)

ESCENA IV

La Marquesa y el Marqués

Marqués.—Tiene muy buena cara Enriquillo.   Anoche cuando llegamos me pareció de peor color: *sería la luz.

Marquesa.—Sí, está muy bien.   ¡Pobre hijo mío!

Marqués.—No estudia nada, por supuesto. . . .

5 Marquesa.—Nada; prohibido en absoluto.

Marqués.—Muy bien hecho; que se robustezca primero; es muy joven.

Marquesa.—Diecinueve años.   ¡Cómo pasa el tiempo! Si su pobre padre le viera!   Toda su ilusión era este hijo.
10 Ya se ve, el único. . . .

Marqués.—Y como no esperaba tener ninguno. . . . ¿Qué edad tenía el tío Manuel cuando nació Enriquito?

Marquesa.—Cincuenta y dos años. . . . Muy buena edad.

15 Marqués.—Cincuenta y dos. . . . No los representaba.

Marquesa.—Había hombre para muchos años; pero los disgustos, las contrariedades. . . . Me cuesta decirlo, pero mis hermanos le quitaron la vida con su mala
20 cabeza.   ¡Qué de pleitos, qué de trapisondas!   ¡Lo que él trabajó por sacarlos adelante, inútilmente!; gracias si a fuerzas de fuerzas consiguió que no nos arrastraran en su ruina y pudo salvarnos a su hijo y a mí de la miseria; pero todo fué a costa de su salud.

25 Marqués.—Y dime, tu hermano Heliodoro, ¿qué se hace?   ¿Sigue tan famoso?   Me sorprendió anoche encontrarle aquí.   Yo no sabía que vivía con vosotros.

Marquesa.—Por temporadas.   Del desastre de su fortuna logró salvar tres o cuatro mil pesetillas de renta
30 que se gasta todos los años en Madrid, en un mes o dos

a lo sumo, algunas veces en quince días, y el resto del
año vive con nosotros, atenido a una modesta pensión
que se le pasa.

MARQUÉS.—¿Y os da mucha guerra?

MARQUESA.—No; cuando no tiene dinero está muy
abatido. Se contenta con predicar ideas disolventes; por
supuesto, nunca delante de Enrique, eso no, le está prohibido, y *en eso sí que no transijo; de otro modo no le
tendría en casa, porque dice cosas horribles.

MARQUÉS.—Todas las que ya no puede hacer.

MARQUESA.—Verdaderas herejías.

MARQUÉS.—Y de su afición a la bebida, ¿se contenta
también con predicar?

MARQUESA.—¡Ay, eso no! Todavía, de cuando en
cuando. . . . Lo único que hemos conseguido es *que no
las pasee por esas calles, que sean en sitio reservado;
como aquí todos le conocen, tienen orden de traerle a
casa sin que nadie se entere, se está dos o tres días
acostado; para Enrique figura que padece de jaquecas;
y así vamos llevando esta cruz, que nunca falta alguna
en la vida. Y tú, ¿estás contento de tu matrimonio?
Yo espero que sí.

MARQUÉS.—Sí lo estoy. Teresa es encantadora, un
carácter muy igual y tan alegre. . . .

MARQUESA.—Eso sí, muy viva de genio; pero algo hay
que conceder a los pocos años; al lado de un hombre de
experiencia como tú, se sentará pronto. Yo creo que
seréis muy felices y tendrás en ella la mujer que faltaba
en tu casa y la segunda madre que necesitaban tus hijos;
las pobres criaturas, que perdieron a la suya tan pronto.
Si todos hubieran sido chicos, pero las niñas sin una
mujer a su lado no era posible. Y Teresita es muy

cariñosa, eso sí, y los niños la encantan; los querrá como si fueran suyos.

MARQUÉS.—Eso creo; aunque por ahora quiero que sigan todos en sus colegios, me escriben muy contentos . . . , contentos del colegio; pero, cosas de chicos, mejor dicho, cosas de los mayores que les hacen pensar en lo que ellos no pensarían, escriben disgustadillos por mi casamiento; las niñas, sobre todo, si vieras qué carta. . . . Me hizo gracia en medio de todo, pero me ha contrariado.

MARQUESA.—Ahí veo la mano de tu hermana Rosalía, que habrá llevado muy a mal tu casamiento.

MARQUÉS.—¡Figúrate!

MARQUESA.—¿Y quién tiene la culpa? Si ella tuviera otro genio, a nadie mejor podías haber traído a tu casa.

MARQUÉS.—No me hables; ni yo, ni los chicos, ni los criados, podemos aguantarla; ya la conoces.

MARQUESA.—*No, si ésa ya se lo pronostiqué la última vez que reñimos: morirá sola en un rincón rodeada de gatos y de cotorras.

ESCENA V

DICHOS y ENRIQUE *por la izquierda con una mano vendada*

ENRIQUE.—Ya dije que hicieran chocolate.

MARQUESA.—¿Qué te ha pasado en esa mano?

ENRIQUE.—Nada, que me he quemado un poco.

MARQUESA.—¿Que te has quemado? ¿Cómo? ¿En la cocina?

ENRIQUE.—Con la maquinilla de alcohol de Teresita. Pasé por su cuarto, me llamó, se estaba rizando el pelo, se cayó la maquinilla. . . .

MARQUESA.—¡Qué diablura! Os pondríais a jugar como dos chiquillos. Ponte patata raspada en seguida.

ENRIQUE.—*Si no vale la pena.

MARQUÉS.—¿A qué hora llega el correo?

MARQUESA.—A mediodía.   5

MARQUÉS.—¿Recibís algún periódico?

MARQUESA.—De Moraleda, el nuestro, el de siempre; de Madrid, ninguno; si hay alguna noticia interesante nos la cuenta don Francisquito; los periódicos *no son para andar en manos de todos. Si quieres alguno, don   10
Francisquito te lo traerá, siempre que tengas cuidado de no dejarlo luego por ahí.

MARQUÉS.—No, si yo tampoco soy muy aficionado a periódicos; leo las noticias y nada más.

ESCENA VI

DICHOS y TERESA por la izquierda

TERESA.—Buenos días, tía. . . . Dame un beso.   15

MARQUESA.—¡Jesús!

TERESA.—¿De qué te asustas?

MARQUESA.—De nada; luego te lo diré.

TERESA.—No, dímelo ahora.

MARQUESA.—No, delante de Enrique, no.   20

TERESA.—Ya estoy también asustada. . . .

MARQUESA (Bajo).—Ese deshabillé, hija mía; demasiado escotado.

TERESA.—¡Ah! ¿Es eso? Pero si yo puedo escotarme sin peligro; estoy tan delgaducha. . . .   25

MARQUESA.—No digas desatinos; ese matinée es de París, ya se conoce.

TERESA.—Sí, pero está comprado en unos almacenes que, según dicen, pertenecen a una Asociación religiosa.

MARQUESA.—¡Teresita!   Comprende que a tu posición y a tu estado no sienta ya bien ese tono ligero.   Eres una mujer casada.

TERESA.—Ya lo sé; pero ¿qué quieres?   No se cambia de genio, como de estado, en un día.   Si siempre he sido una chiquilla; mi cuerpo ha crecido, ha crecido, pero mi espíritu continúa siendo niño, y necesito mirarme mucho, recordar los años que tengo, para no ponerme a saltar a la comba, a jugar con muñecas, a cantar al corro: tía, cuando pienso que al volver a Moraleda me encontrar? en casa con cuatro pequeños, no puedo pensar en que he de ser su madre, en que deben ser mis hijos; no, son cuatro hermanos, *cuatro hermanillos chicos con quien reír y jugar.   ¡Cómo jugaremos!   ¡Cómo van a quererme y cómo los quiero ya, sin haberlos visto, sólo porque son niños, como mi alma, y porque no tienen madre, como yo.

MARQUÉS.—Pero ¿sabes que he decidido no llevarlos, por ahora, a Moraleda?

TERESA.—¿Por qué?

MARQUÉS.—Porque les conviene seguir en el colegio; escriben que están muy contentos; aquello les prueba. . . . Además, no quiero esclavizarte tan pronto.   ¿Qué vas a disfrutar si en seguida empiezas con los cuidados de una casa y de una familia?

TERESA.—¿Esa idea tienes de mí?   Verdad que yo me tengo la culpa.   Como digo que soy una chiquilla, no fías en mi juicio; la tía tambien *te habrá dicho lo mismo, que no tengo formalidad; siempre ha tenido esa idea de mí.

MARQUESA.—¡No sé por qué dices eso!   Si tuviera esa idea de ti, no te hubiera creído digna de la delicada misión que te has impuesto al casarte.

TERESA.—Sí, sí; eso dices, pero yo veo claro.   Ya lo sabes, Juan, no tienes en mí una madre para tus hijos;

tienes una chiquilla más, un cuidado más; edúcame bien,
porque estoy muy mal educada, y eso que, a pesar de
haberme quedado sin madre muy pronto, tuve después una
madrastra muy severa, que sabe educar a los más rebeldes.

MARQUESA.—¿Una madrastra?   5

TERESA.—Sí, la adversidad.

MARQUESA.—Puedes quejarte. ¿Qué duró para ti la
adversidad? Cuando todo faltó en tu casa, ¿qué te faltó
en la nuestra? ¿No procuramos por todos los medios
que fueras feliz? ¿No lo eres hoy?   10

TERESA.—Es que yo no soy egoísta; para creerme feliz
necesito saber que lo son cuantos me rodean, y en mi
casa no era yo sola y no todos se libraron de la adversidad,
y ahora no soy sola tampoco, y para ser feliz necesito que
lo sean todos, ¿entiendes?, todos; y al decirme que ya no   15
vendrán los niños con nosotros, pienso que hubo algo
capaz de cambiar tu decisión. ¿Fué algo que te dijeron,
o algo que viste en mí y te hizo pensar de otro modo?
Sed francos, decidme siempre lo que sintáis; yo quiero
ver siempre caras iluminadas por la franqueza, corazones   20
abiertos; no sé leer en los rostros sombríos ni en los ceños
adustos. Me espantan, me desconciertan. ¿Hago mal
en estar siempre alegre? Seré muy seria, ya lo veréis,
muy seria; pero no estéis serios vosotros; de ese modo
podré, a lo menos, seguir alegre por dentro para mí sola.   25

ENRIQUE.—¡Mamá, mamá! No riñáis a Teresita.

MARQUESA.—¿Reñirla? No. ¡Qué disparate! Pero
¿qué tienes? ¡Este hijo mío . . . ! ¡Está llorando!
Esta criatura es tan sentida. . . . ¿Por qué lloras?

MARQUÉS.—¡Un hombre! ¡Y sin motivo!   30

MARQUESA.—¡Qué corazón!

TERESA.—¡Pobre Enrique! ¡Si sientes así no vas a ser
muy feliz en la vida!

ESCENA VII

DICHOS y una CRIADA por la izquierda

CRIADA.—Cuando los señores Marqueses quieran, pueden tomar el chocolate.

MARQUESA.—¿Queréis que os lo sirvan aquí?

MARQUÉS.—No; vamos allá.

5   TERESA.—Yo no tomo nada; nos hemos levantado más tarde que de costumbre, y si tomara algo no almorzaría.

MARQUÉS.—Como quieras; yo sí; estoy desfallecido.

MARQUESA.—Enrique, acompaña a tu primo.

MARQUÉS.—Gracias.   Y luego también harás el favor
10   de llevarme al telégrafo.

ENRIQUE.—Con mucho gusto.

MARQUÉS.—Hasta luego, tía.

MARQUESA.—Hasta luego.   (Se van el MARQUÉS y ENRIQUE por la izquierda.)

ESCENA VIII

LA MARQUESA y TERESA

15   TERESA.—¡Qué buen muchacho es Enrique!

MARQUESA.—Muy bueno.   ¡Pobre ángel mío!

TERESA.—Pero ¿no te asusta esa bondad toda dulzura? ¿No temes que sea entregarle indefenso a luchar con la vida?   Piensa que nació muy tarde de tu matrimonio,
20   que no tiene padre; que tú, Dios no lo quiera, puedes faltarle cuando aún sea demasiado joven, un niño, como ahora, y tú no sabes lo que es pasar en la vida de los mimos de nuestros padres a la indiferencia de los extraños. Ahora no dirás que no hablo seriamente.

25   MARQUESA.—Demasiado; porque me parece percibir

alguna queja en tus palabras; tú no hallaste sólo extraños indiferentes al perder a tus padres.

TERESA.—Es verdad, perdona; tú has sido muy buena conmigo, te lo debo todo.

MARQUESA.—En este mundo, hija mía, no puede lograrse todo lo que se sueña; yo sé lo que son ilusiones para un corazón joven; yo sé cómo se sueña el amor a los veinte años; pero sé también, porque he vivido más que tú, que para una muchacha en tu situación no había mayor seguridad del porvenir que este matrimonio . . . , razonable si quieres, demasiado razonable, para una joven; pero tú misma has de comprender algún día que era la mejor defensa contra los riesgos a que está expuesta de continuo, en el mundo, la virtud, cuando va unida a la hermosura y a la pobreza.

TERESA.—Sí, lo comprendo, lo comprendí siempre; acepté sin violencia, más deseosa de poder hacer felices a los demás que de serlo yo misma.

ESCENA IX

DICHOS y DON HELIODORO *por la segunda derecha*

HELIOD.—¡Sobrina! ¡Sobrinilla!

TERESA.—¡Muy buenos días, tío! ¿De dónde vienes tan temprano?

HELIOD.—He empezado mi temporada de baños; el agua es mi elemento; me he dado un baño delicioso; es lo que mejor me prueba para mis jaquecas.

TERESA.—¿Sigues padeciendo las jaquecas?

HELIOD.—Tremendas; *de no poderme levantar en tres días. Anoche, cuando llegasteis, me amagaba una.

MARQUESA.—Por fortuna no era de las fuertes.

HELIOD.—No; se me pasó durmiendo.   Por eso apenas os hice caso; *ya me perdonaríais; cuando estoy así. . . . Díselo a tu marido; como que con él no tengo confianza. . . .

TERESA.—Ya se hizo cargo.

HELIOD.—Y ¿qué tal, qué tal la luna de miel y ese viaje de novios?   París, delicioso, ¿verdad?   Tú ya lo conocías.

TERESA.—Estuve, de niña, muchas veces.

HELIOD.—Sí, con tu padre.   ¡Pobre Ramón!   ¡Cómo le gustaba París!   ¡Es encantador!   Hay tres grandes épocas en la vida para visitarle: de soltero, de recién casado, de recién viudo.   Yo le he visitado en las tres, y no sé cuándo me ha parecido mejor.

MARQUESA.—¿A ti?   Cuando hayas estado más libre.

HELIOD.—Entonces de casado, porque de soltero y de viudo estuve muy sujeto.

MARQUESA.—Suprime el relato de tus aventuras; nos las figuramos.

HELIOD.—¿Pensáis estar aquí mucho tiempo?

TERESA.—No lo sé; la casa de Moraleda está en obra.

HELIOD.—Aquí vais a aburriros mucho; esto es muy triste.

MARQUESA.—No sé por qué dices eso: la tranquilidad es su mayor encanto.   Gracias a Dios, todavía se ve esto libre de veraneantes.

HELIOD.—Sí, gracias a Dios y a que para llegar aquí hay que ponerse bien con Él.   ¡Qué camino y qué servicio de coches!   Y luego aquí, ¡qué agrado con el forastero! Si parece llamativo el modo de vestir de los que llegan, los chicos les corren por las calles, y los grandes les miran como bichos raros, y las personas significadas hacen la bola como erizos, para evitar aproximaciones.   *¡Y luego

está el pueblecito de diversiones! . . . ¿Teatro? Ni
pensarlo; en cuanto una compañía de cómicos se aventura por aquí, los curas desde el púlpito, doña Esperanza
en su tertulia predican la cruzada, *y que si las obras
son pecaminosas, que si la primera actriz no está casada   5
con el que pasa por su marido, que si la dama joven sale
con la falda muy corta . . . ; *a perecer los pobres
cómicos. La música que teníamos los domingos en la
glorieta también se ha suprimido, porque la gente del
pueblo bailaba demasiado junta, y ahora las criadas van   10
a un círculo que han fundado las señoras, y los obreros
a otro círculo que han fundado los señores, a ensayar en
un orfeón, que parece ser lo más edificante y moralizador
que puede darse. El único café se cierra a las once, y
reuniones no hay más que dos: una, aquí, ya verás qué   15
divertida; y otra, los sábados, en casa de doña Esperanza,
la obispa, como yo la llamo; la que todo lo inspecciona,
gobierna y censura; la que dispone, desde cómo ha de ser
el traje de baño y a qué hora ha de bañarse la gente,
hasta la hora en que hemos de acostarnos y con quién.   20

MARQUESA.—¡Calla, calla, no desatines!

HELIOD.—Digo con quién, porque todas las bodas que
aquí se hacen son cosa suya: la de los ricos y la de los
pobres. Digo, de eso ya estás enterada, porque tu tía
la imita en todo y a ti te ha casado por ese sistema.   25

MARQUESA.—Heliodoro, Heliodoro, me parece que
estás con la jaqueca. No sigas disparatando, porque me
veré en el caso de llevarme a Teresita.

HELIOD.—¡Pobre Teresita! Ya verás lo que es esto;
¿qué voy a decirte? Ya conoces Moraleda; pues aquello   30
en pequeño, más reducido el cerco, aquí nos pueden, nos
ahogan. Ya verás, ya verás.

ESCENA X

DICHOS y DON FRANCISQUITO *por la segunda derecha*

MARQUESA.—¿Qué hay, don Francisquito?

FRANCIS.—Doña Esperanza y doña Asunción esperan
en mi despacho: preguntan si la señora Marquesa puede
recibirlas, porque desean saludar a su sobrina la señora
5   marquesa de Santo Toribio.

MARQUESA.—¡Ya lo creo! Que suban, que suban en
seguida. (*Vase don* FRANCISQUITO *por la segunda derecha.*)

HELIOD.—Ahí las tienes.

MARQUESA.—Teresita, no tomes a mal mi advertencia,
10 pero te aconsejaría que te quitaras ese *matinée*.

TERESA.—¿No es más que eso? En seguida. Me
pondré otro vestido, ya verás.

HELIOD.—Y con guantes, y mucho cuidado con lo que
dices, no las asustes.

15 MARQUESA.—Heliodoro, francamente, es preferible la
jaqueca declarada; cuando estás con el amago no hay
quien te aguante.

TERESA.—Voy a ponerme seria. (*Vase por la izquier-*
da.)

20 MARQUESA.—¿Te parece bien decir esas cosas delante
de Teresita? Gracias a que no te ha oído su marido.

HELIOD.—Ya tendrá tiempo de oírme.

MARQUESA.—Heliodoro, recuerda. . . .

HELIOD.—¿Que estoy aquí de limosna, no es eso?

25 MARQUESA.—Nadie dice eso. Con que recuerdes el
respeto que debes a esta casa, a mí y a ti mismo, es
bastante.

HELIOD.—¿Y mis convicciones? ¿No son respetables?
¿Y mis creencias, y mis sentimientos? ¿Creéis que por
30 un pedazo de pan se compra todo eso?

Marquesa.—Hoy estás desatinado. . . . ¿Y te sien-
tas? ¿Piensas asistir a la visita de esas señoras? Pero
no dirás disparates. . . .

Heliod.—Ya lo creo que los diré; es mi única diversión
en este pueblo: molestar a esas señoras; ya lo creo que   5
diré cosas, ya lo creo.

Marquesa.—Dios me perdone. Dios me perdone.

Heliod.—Por el estallido que me deseas. ¿No es eso?
Pues que Dios te perdone, como yo te perdono. (*Can-
tando La Marsellesa*) *« *Allons enfants de la patrie*. . . .»   10
No dirás que no me preparo a recibirlas.

Marquesa.—Por fortuna ya saben que estás loco.

Heliod. (*Cantando*).—« *Le jour de gloire est arrivé.*»

ESCENA XI

Dichos, Doña Esperanza y Doña Asunción *por la segunda
derecha*

Esperanza.—¡Marquesa!

Asunción.—¡Marquesa!   15

Marquesa.—¡Esperanza! ¡Asunción! ¡Queridas ami-
gas!

Heliod.—¡Señoras mías!

Esperanza.—¡Ah! Don Heliodoro. . . . Por fin se
deja usted ver. ¡Qué rareza!   20

Asunción.—Sí lo es. No se le ve a usted nunca. . . .

Heliod.—No es extraño. No salgo *los sábados por
la noche.

Esperanza.—¡Eh! . . .

Heliod.—¿No es el día de sus reuniones?   25

Esperanza.—Sí, sí. . . . (*Bajo a* Asunción) Yo creo
que ha querido llamarnos brujas.

Asunción (*Idem*).—¡Desvergonzado! ¡Beodo!

Heliod. (*Cantando*).—«*Contre nous de la tyrannie.*»

Marquesa.—No hagan ustedes caso; *la familia empezamos a creer que está algo perturbado. . . ; los disgustos. . . .

5 Esperanza.—Sí, y las jaquecas. . . . ¿Conque anoche llegó Teresita con su esposo? Tan felices. ¿No es eso? Santo Toribio es un hombre sin tacha. ¡Qué caballero! ¡Qué cristiano! ¡Ah, si todos los hombres fueran como él! . . . Teresita será felicísima.

10 Asunción.—Y diga usted, ¿no hay novedad?

Marquesa.—¿Novedad?

Asunción.—Vamos, si. . . .

Marquesa.—¡Ah! . . . No, por ahora no. En seguida saldrá a saludar a ustedes; se ha levantado un poco

15 tarde. Fatigados del viaje.

Asunción.—Es natural.

Esperanza.—Que no se molesten por nosotras. . . .

Marquesa.—No es molestia; al contrario, tendrán mucho gusto. . . .

20 Asunción.—El gusto es nuestro.

Marquesa.—Ella las quiere mucho a ustedes. En todas las cartas me daba recuerdos para ustedes.

Esperanza.—Supongo que usted también se los habrá enviado de nuestra parte.

25 Marquesa.—Y los ha agradecido mucho.

Asunción.—Nosotras también. *Ya sabe que la queremos mucho.

Marquesa.—Y ella les corresponde a ustedes.

Heliod. (*Como hablando consigo mismo*).—*Está a la

30 disposición de ustedes. Está muy bien empleada.

Esperanza.—¿Qué dice este hombre?

Marquesa.—¿Qué dices?

Heliod.—Nada; que faltaba esa fórmula. . . . No

hagan ustedes caso; asociación de ideas. . . . *« Mejor estaría. No cabe mejoría. . . .» No hay como la buena crianza.

MARQUESA.—Les digo a ustedes que nos alarma su estado.

ESPERANZA.—La compadezco a usted, Marquesa; a mi hermana se lo digo yo muchas veces: ¡Pobre Marquesa!

ASUNCIÓN.—Es verdad. Cuántas veces decimos en casa: ¡Pobre Marquesa!

MARQUESA.—Ya sé que son ustedes muy buenas ami-gas.

ESPERANZA.—Ya sabe usted que se la quiere.

MARQUESA.—No hacen ustedes más que corresponder.

ASUNCIÓN.—Ya sabemos que usted también nos quiere.

MARQUESA.—Cuántas veces se lo digo yo a mi pobre hijo: Lo que yo quiero a Esperanza y a Asunción. . . . Y Enrique también las quiere a ustedes mucho.

HELIOD.—Y yo, yo también las quiero a ustedes.

ESPERANZA.—Pues mire usted, don Heliodoro, del cariño de usted no nos fiamos tanto.

HELIOD.—No sé por qué.

ASUNCIÓN.—Usted es de cuidado. El rinconcito de usted en el Casino tiene fama; de allí salen todos los motes y todas las críticas. . . .

ESPERANZA.—Allí será donde han inventado ustedes lo de la pobre María de la O. ¿No lo ha oído usted, Marquesa? ¡Espantoso! Yo no puedo creerlo. Ver-dad es que yo soy siempre la última en creer esas cosas.

HELIOD.—Así, *tardando en creerlas cunde más el irse enterando.

ESPERANZA.—Es que de algún tiempo a esta parte ha tomado unas proporciones la maledicencia . . . ; aquí, donde antes no se hablaba mal de nadie.

Asunción.—Y es el Casino; de allí sale todo; como se reunen allí todos los desocupados. . . .

Heliod.—Ahora pensamos fundar un orfeón.

Esperanza.—Ya sé que la han tomado ustedes con el orfeón, que lo ridiculizan ustedes, y que la otra noche cuando cantó en la plaza, usted, desde un balcón del Casino, se pasó usted la noche haciendo el gato. ¡Qué gracioso!

Heliod.—¡Calumnia, calumnia! El gato era auténtico. *Michito,* un magnífico gato del Casino que andaba aquella noche por la terraza, ferido de mal de amores; yo me limité a maullar dos o tres veces por darle alguna esperanza; me sentí Zapaquilda. . . . *Zapaquilda la bella era gata doncella. . . .

Asunción.—Y vamos a ver. ¿En qué les molesta a ustedes el orfeón?

Esperanza.—Eso es. ¿En qué les molesta a ustedes?

Heliod.—En nada, en nada; cuando no canta, en nada.

Esperanza.—¿No vale más que el obrero se distraiga de ese modo en las horas de descanso, *que no en la taberna o en el *club* revolucionario oyendo y leyendo atrocidades?

Asunción.—Compare usted *a unos con otros. ¡Qué diferencia! Los unos tan aseados, tan modosos, sin carecer de nada; los otros siempre gritando, siempre quejándose, siempre en huelga.

Heliod.—¡Ya lo creo!; como que a los unos no les escatiman ustedes nada y a los otros se lo niegan ustedes todo.

Marquesa.—Por algo será la diferencia.

Heliod.—Por algo, ciertamente; porque no hacen ustedes caridad ni limosna desinteresada, sino a cambio de una profesión de fe absoluta, no sólo religiosa, política,

social . . . , hasta sentimental. Y aunque a ustedes les
sorprenda, no todo el mundo . . . , y menos entre esa
pobre gente que en esferas más elevadas, está dispuesto
a vender su conciencia y sus sentimientos por una limosna
que sólo a ese precio se les ofrece. Creen ustedes que   5
fomentan la virtud, y lo que fomentan es la hipocresía;
no educan ustedes; amaestran con el látigo en una mano
y la golosina en la otra. Es odioso el *Don Juan Tenorio
que presenta Molière cuando por una limosna pretende
hacer blasfemar a un pobre; pues no es menos odioso el   10
que por una limosna pretende hacerle bendecir. Caridad de toma y daca no me convence; el bien no es semilla
que debe sembrarse con esperanza de cosecha; se arroja
al suelo; que alguna cae en tierra y fructifica, bien está;
que el viento se la lleva, no se pierde . . . ; la alegría de   15
hacer bien está en sembrar, no está en recoger.

ESPERANZA.—*Será por egoísmo por lo que procuramos
en todo mejorar la suerte de nuestros protegidos. No
hay duda que es mucho más cómodo sembrar al viento
sin preparar antes el terreno y sin cultivarle.   20

MARQUESA.—Supongo que no harán ustedes caso de
este hermano mío, que es como Dios lo ha hecho.

ESPERANZA.—Ya conocemos su modo especial de practicar el bien.

ASUNCIÓN.—Ese desgraciado Cabrera, ese borrachón,   25
que es la vergüenza del pueblo, y esa infeliz que vive con
él, *la Repelona, son buena prueba de ello. Usted se
divierte en convidarles, en oírlos disparatar . . . ; beben
hasta caerse. . . .

ESPERANZA.—Y como nosotros se lo afeamos y nos   30
negamos a socorrerlos mientras no cambien de vida, nos
insultan cuando nos encuentran. A eso da usted lugar
con su modo de entender la caridad.

MARQUESA.—Bueno andaría todo si él fuera el encargado de mejorar las costumbres del pueblo.

HELIOD.—Sí; ya sé que soy para ustedes la bestia del Apocalipsis, corriente; *nos dividiremos el imperio del mundo, es decir, de este pueblo: ustedes con los suyos; yo . . . , yo conmigo solo, porque yo no tengo míos, los míos son libres: piensan lo que quieren, hacen lo que quieren, viven como quieren.

ESPERANZA.—Beben lo que quieren.

HELIOD.—Sí, señora; eso sobre todo. No les impongo ni siquiera la obligación de creer que yo sea una persona decente. Libertad, libertad, ese es mi tema. *¡Liberté, liberté chérie!*

ESCENA XII

DICHOS *y* TERESA *por la izquierda*

TERESA.—¡Doña Esperanza! ¡Asunción!

ESPERANZA.—¡Teresita! ¡Hija mía!

ASUNCIÓN.—¡Teresita de mi alma!

ESPERANZA.—No sabes lo que nos alegramos de todo; cuando nos escribió tu tía que te casabas con Santo Toribio; nosotros que le conocemos de toda la vida. . . . Serás la mujer más feliz de este mundo. A mi hermana se lo decía yo muchas veces: Si yo tuviera una hija, no le pediría a Dios otro marido para ella. Ahora habrás visto cómo las mayores adversidades, cuando se llevan con resignación, no son más que pruebas pasajeras, y algunas veces se nos anticipa aquí la recompensa.

TERESA.—Gracias a la tía; gracias a ustedes.

ESPERANZA.—¡Y qué buena estás! . . .

ASUNCIÓN.—¡Y qué guapa! Pareces otra.

TERESA.—Muchas gracias.

Heliod. (*Bajo a* Teresita).—Sí, puedes darlas; porque si le pareces guapa y le pareces otra, calcula lo que le parecerías antes.

Esperanza.—¿Y tu marido?   No queremos dejar de saludarle.

Teresa.—No tardará.   Fué al telégrafo, y habrá ido a misa, de paso.

Marquesa.—Sí, salió con Enriquito.

Esperanza.—¿Pensáis vivir en Moraleda?

Teresa.—Sí, en Moraleda.

Esperanza.—Muy bien pensado.   Allí tenéis toda clase de comodidades.   La casa de tu marido es magnífica, y luego la finca de recreo, allí cerca, una finca regia.   Todo muy descuidado, eso sí, porque el Marqués, desde que enviudó, no se cuidaba de nada; pero ahora contigo. . . .

ESCENA XIII

Dichos y Don Francisquito *por la segunda derecha*

Francis.—Con permiso de las señoras.

Marquesa.—¿Qué ocurre, don Francisquito?

Francis.—Natividad y Martín esperan abajo; dicen que la señora Marquesa les ha mandado venir a esta hora.

Marquesa.—Sí, sí; para entregarles todos sus papeles. Que suban, que suban en seguida.   Dígales usted que están aquí también doña Esperanza y doña Asunción.

Francis.—Ya lo saben, señora Marquesa.   (*Vase por la segunda derecha.*)

Marquesa.—¿Con qué fin se casan estos chicos?

Esperanza.—Una buena obra que será agradecida; los dos son muy buenos, muy trabajadores, y ahora, establecidos en excelentes condiciones, cada uno en su oficio estarán en la gloria.

TERESA.—¿Casan ustedes a alguien?

MARQUESA.—Sí; a dos pobres muchachos del pueblo, dos huérfanos protegidos nuestros; digo, ella no es del pueblo; su historia es cosa de novela.

5   TERESA.—¿Sí? Cuenten ustedes.

MARQUESA.—Después, que ya están ahí.

ESCENA XIV

DICHOS, NATIVIDAD y MARTÍN *por la segunda derecha*

MARQUESA.—Adelante, adelante. Todos son de casa: mi sobrina, la Marquesa de Santo Toribio.

NATIVIDAD.—¿La señorita Teresa? Estuvo aquí hace 10 años; era una niña; vino un día a visitar el Asilo con la señora Marquesa y con otra señora.

TERESA.—Mi madre.

MARQUESA.—¡Qué memoria! Porque entonces tú eras una chiquilla.

15   NATIVIDAD.—Yo me acuerdo de todo.

TERESA.—Yo también recuerdo ahora. Sí, entonces oí la historia; por cierto que me impresionó mucho; pero después había olvidado hasta ahora; sí, ya recuerdo. Es la niña que salvaron unos marinos del pueblo, de un barco 20 naufragado.

NATIVIDAD.—Sí, señora; yo soy.

ESPERANZA.—No pudieron salvar más que a esta niña y a una pobre mujer abrazada a su hijo; la mujer murió en seguida, el chico se salvó también. Fué en la tarde 25 de un día de Nochebuena; por eso cuando confirmamos a los dos niños, en recuerdo les cambiamos el nombre, y los llamamos Natividad y Jesús.

TERESA.—El niño es este joven. . . .

NATIVIDAD.—No, no, señora.

MARQUESA.—No; el niño se salvó del naufragio, pero ha naufragado después en la vida. *Todo lo que Natividad, no es porque esté ella delante, fué siempre de dócil, de aplicada, todo lo que supo agradecer siempre el bien que se le hizo, el muchacho tuvo de díscolo y de rebelde: a los ocho años se escapó del Asilo; después, qué sé yo las barrabasadas que hizo; tuvimos la desgracia de que se librara, por el número, de ir al servicio, y por ahí anda hecho un perdido; unas veces se escapa del pueblo, sin saber adónde; de pronto aparece.

ESPERANZA.—Como comprenderás, hemos desistido ya de protegerle.

ASUNCIÓN.—Sí, sí; *bueno es el mozo.

TERESA.—¿Y usted perdió a alguno de su familia en el naufragio?

NATIVIDAD.—No lo sé, señora; no recuerdo; tenía yo tres años.

MARQUESA.—Venían de Orán en un mal barco de vela; era una compañía de titiriteros, diez o doce personas; por la madre del chico pudo saberse algo.

TERESA.—¿De modo que el muchacho que se salvó con usted no era su hermano?

NATIVIDAD.—No, señora, no.

MARQUESA.—No eran hermanos.

HELIOD.—Como que fueron novios.

MARQUESA.—No hay que hablar de eso; el chico es un loco romancero, que se le puso en la cabeza que Natividad había de casarse con él porque el Destino, así dice él, el Destino; *para que nada le falte, es muy dado a leer novelones y crímenes en los periódicos; pues el Destino, según él, los había unido, y nada podía separarlos.

ESPERANZA.—¡Pobre Natividad! *Para casarse con ese pillete más *le valía no haberse salvado.

TERESA.—Entonces, ¿este joven es su prometido de usted?

MARTÍN.—Para servir a usted.

ESPERANZA.—Éste es otra cosa: muy honrado, muy
5 trabajador; los dos tienen su oficio; ella es planchadora, él carpintero; él trabaja en el mejor taller que hay aquí; a ella le hemos puesto ahora un obrador que es una monada, y como los dos son tan estimados de todo el mundo, vivirán *tan ricamente.

10 NATIVIDAD.—Gracias a ustedes.

MARTÍN.—Sí, señoras, gracias a ustedes.

MARQUESA.—Para que digan que nuestras Juntas no sirven de nada.

TERESA.—¿Y se casan ustedes pronto?

15 NATIVIDAD.—La semana que viene; este domingo es la última amonestación.

TERESA.—Cuente usted con mi regalo. Algo útil para la casa. Ustedes me dirán lo que necesitan.

NATIVIDAD.—Tantísimas gracias, señorita; en la casa
20 tenemos de todo: estas señoras son tan buenas . . . ; pero lo que usted quiera, señorita, demasiado hace usted.

TERESA.—Yo me enteraré.

MARQUESA.—Me alegro que hayáis venido cuando están aquí doña Esperanza y doña Asunción, porque
25 aunque yo sea la presidenta, como ellas son las que han intervenido en todo. . . .

ESPERANZA.—Por Dios, nosotras no hacemos más que interpretar los deseos de usted, Marquesa.

MARQUESA.—Pues pasemos al despacho, que don Fran-
30 cisco ya tendrá listos los documentos, y se os hará entrega de todo. Martín tendrá que echar algunas firmitas, y todo queda en regla; ya no os falta más que las bendiciones.

ESPERANZA.—Hacen linda parejita, ¿verdad?

TERESA.—Es interesante. Pero yo no sé por qué
pienso en el otro.

HELIOD.—Y ella también, créelo.

TERESA.—¿Tú crees . . . ?

HELIOD.—Estoy seguro.

TERESA.—Ya es más interesante.

MARQUESA.—Vamos, pasen ustedes.

ESPERANZA.—Pase usted, Marquesa.

MARQUESA.—Venid vosotros.

NATIVIDAD.—Con permiso de ustedes.

MARTÍN.—Con su permiso. (*Se van todos, menos*
TERESA *y don* HELIODORO, *por la izquierda.*)

ESCENA XV

TERESA y DON HELIODORO

HELIOD.—¿Has oído todo eso que dicen del pobre
Jesús? Pues no tienen razón, es lo de siempre; a cambio
del bien que hacen exigen una abdicación completa de
la voluntad, una especie de esclavitud; las personas no
son personas para ellas, son abstracciones, almas que
salvar, y *las personas, ¡qué demonio!, tenemos un alma;
pero envuelta en muchas fibras de carne y hueso, sangre
que hierve, nervios que saltan, vida, en fin, vida que es
fuerza y rebeldía. A la primera travesura del muchacho
ya le notaron de sospechoso; la desconfianza y la represión
continua fueron el sistema empleado, y es natural, la
rebeldía fué en aumento, hasta que terminó en guerra
declarada; y el chico no es malo, pero conseguirán que
lo sea si como a tal le tratan. Quiere a esa muchacha;
en su cariño, es verdad, hay mucho de romántico, frases

de folletín, ridículas muchas veces; yo he sido el primero
en reírme de él; pero en el fondo su cariño es sincero,
apasionado; y la muchacha también le quiere, pero está
acobardada; acepta el marido que le ofrecen como una
5   limosna que no puede rechazar; porque un pobre no puede
rechazar una limosna sin parecer ingrato; pero un marido
es lo que no debe darse nunca de limosna. . . . Luego
dicen que hablo. . . . *¡No he de hablar, si hay cosas que
encienden la sangre! Lo mismo han hecho contigo. . . .
10 TERESA.—¿Conmigo?
HELIOD.—Sí; tú lo sabes. No les bastaba con asegurarte el pan; había que asegurarte la virtud, había que
salvarte; y como no confiaban en ti, por lo visto, ni confiaban en que ningún hombre joven te ofreciera su amor,
15 pobre como eras . . . , y en eso quizá tenían razón; los
jóvenes de ahora son cobardes para el amor, y al luchar
por la vida lo juzgan como estorbo, y quién sabe si ellos
también tienen razón; porque la vida de ahora es dura y
difícil, y castiga muy cruelmente al que no acepta la
20 realidad y se distrae en el camino mirando a las estrellas
o escuchando a los ruiseñores.
TERESA.—Entonces, si tú mismo dices que todos tienen
razón, ¿de qué puedo quejarme?
HELIOD.—Sí, sí; todos tienen razón; pero es que yo no
25 me resigno a la razón, no acepto así la vida; mi lucha
fué siempre no luchar por ella, sino contra ella, cuando
me pareció inaceptable en sus condiciones. Por eso vivo
aquí de limosna, pero sin abdicar, como un rey vencido,
pero no humillado, que por nada del mundo firmaría su
30 abdicación; solo, como el ángel rebelde, que prefirió ser
demonio a ser ángel arrepentido y perdonado; solo y
grande en mi infierno, y por eso digo que hicieron mal
en casarte con ese viejo egoísta que sólo buscó en ti un

aya de confianza para sus hijos y un ama de gobierno
para su casa; por eso digo que hacen muy mal en unir
a esos dos muchachos que, obligados por la gratitud, no
se atreven ellos mismos a creer que no se quieren.

TERESA.—¿Por qué no han de quererse? Tú sí que
fuiste siempre un romántico, querido tío. Confiesa que
tú, con toda esa historia de naufragio en día de Nochebuena, de titiriteros, de huérfanos recogidos en la tempestad, compusiste un novelón o melodrama en tu cabeza,
y este final de boda prosaica te desilusiona por completo.
Pues la muchacha parece muy contenta con su suerte.

HELIOD.—Como tú con la tuya.

TERESA.—¡Qué empeño en mezclar historias distintas!

HELIOD.—¿Pretendes hacerme creer que estás enamo-
rada de tu marido?

TERESA.—Sé decirte que no me ha costado ningún
sacrificio mi casamiento.

HELIOD.—Porque no quisiste antes a ningún hombre,
y no sabes aún lo que es cariño . . . , amor . . . , verdadero amor; pero ¿quién dice que no llegará ese día?

TERESA.—¿Qué dices?

HELIOD.—Que si la vida, con sus prosaicas realidades,
parece vencer al ideal, el ideal es lo único eterno, y, por
fin, se desquita victorioso, y en un día, en un momento,
desbarata, destruye la vida mejor ordenada, la más tranquila, la que parecía más segura de pasiones o de locuras
que trastornaran su equilibrio perfecto.

TERESA.—No temo pasión ni locuras que trastornen
mi vida.

HELIOD.—Pues algo llegará . . . ; por lo menos una
gran tristeza que llenará tu alma y acaso no sepas de
qué proviene, y será el ideal, el ideal que, tarde o temprano, exige su parte en nuestra vida.

ESCENA XVI

DICHOS y NATIVIDAD *por la segunda derecha*

NATIVIDAD.—Ustedes perdonen; quiero hablar con la señora Marquesa.

HELIOD.—¿Qué te ocurre?   Vienes asustada.

TERESA.—¿Qué sucedió?

5   NATIVIDAD.—Sí, señora, sí, muy asustada; las señoras nos dieron nuestros documentos, estuvieron tan cariñosas como siempre, Dios se lo pague; salimos juntos Martín y yo, los dos tan alegres; en la esquina nos separamos, él hacia su taller, yo a mi obrador; apenas me quedé sola,

10   aparece Jesús y me cierra el paso y empieza a decir unas cosas, como loco, nunca le he visto así; ya parecía conforme, yo creí que no se acordaba de mí, y ahora. . . . No sé qué dice, que nos mata, que se mata él; seguro que está loco. . . . Quería venir a insultar a las señoras;

15   yo eché a correr asustada, volví aquí, creo que me siguió, no quise mirar atrás; pero yo le oía, le oía decir cosas . . . , siempre lo mismo: Os mato, me mato, y a esas brujas también. Dios le perdone; las brujas eran las señoras. . . . Está loco, pueden creerlo; seguro que está

20   loco.

HELIOD.—El melodrama, la novela. . . . ¿Qué te decía yo?

TERESA.—Perdone usted, Natividad.   ¿Usted no quiso nunca a Jesús?

25   NATIVIDAD.—Sí, le quise; ya ve usted, en todo iguales: juntos nos salvaron de milagro, juntos nos nombraba siempre todo el mundo, siempre juntos nuestros nombres y los dos solos en el mundo, recogidos por caridad, toda nuestra vida de caridad; pero él se ha portado muy mal,

30   muy ingrato. . . .

TERESA.—Pero ¿es tan malo como dicen?

NATIVIDAD.—Sí, señora, sí; no se sujeta a nada; muy rebelde y muy mal cristiano, dice atrocidades. Y se ha escapado del Asilo muchas veces; hasta toreando anduvo por los pueblos, y otra vez con unos titiriteros.

HELIOD.—Es natural; entre ellos nacisteis. ¿Tú no has sentido nunca el deseo de dar unas volteretas?

NATIVIDAD.—¿Yo? No, señor; y eso que de pequeña, según dicen, tenía todo el cuerpo dislocado.

TERESA.—¡Qué horror! *Eso debía estar castigado.

HELIOD.—Sí; debía estarlo, y mucho más dislocar corazones y cerebros.

TERESA.—Y dime, ¿qué otras maldades hizo el pobre Jesús?

NATIVIDAD.—Muchas, señorita. Un día alborotó todo el pueblo; anduvo con *el Cabrera y la Repelona, borrachos los tres, por esas calles, echando herejías por aquellas bocas, y desde aquel día fué cuando las señoras dejaron de protegerle; hasta entonces siempre le habían perdonado.

HELIOD.—Pero aquel día, con el calor de la improvisación, salieron a relucir historias de señoras muy principales; como la Repelona está enterada de todo lo que pasa en el pueblo, hubo conciliábulo y se decretó la excomunión.

TERESA.—¿Y ya no quieres a Jesús?

NATIVIDAD.—¿Quererle? Sí, siempre le quiero, y me da mucha lástima de que sea así; pero ya es otra cosa; ya sabe que me caso y no debe pensar en mí. *Si Martín lo ve hoy hablar conmigo de esa manera . . . , ya ven ustedes lo que hubiera podido suceder, una desgracia; porque los hombres pronto se acaloran, y aunque Martín es muy prudente, tanto le hubiera pinchado el otro. . . .

Yo, la verdad, estoy muy asustada, señorita, y quiero decírselo todo a la señora Marquesa para que metan miedo a Jesús y no vuelva a suceder lo que ha sucedido.

TERESA.—Sí, hay que procurarlo. (*Se oyen voces dentro, del* CRIADO, JESÚS, CABRERA *y la* REPELONA.)

NATIVIDAD.—¡Dios mío!

TERESA.—¿Qué? ¡Ah! ¡Qué gente!

HELIOD.—Nada, nada; no te asustes. Son amigos míos. Ahí le tienes; ése es Jesús, y Cabrera y *la Repelona,* su morganática. . . . Adelante, adelante. Conmigo no se desmandan, no tengas miedo.

ESCENA XVII

DICHOS, LA REPELONA, JESÚS y CABRERA

REPELONA.—Muy buenos días, para servir a ustedes.

CABRERA.—Muy buenos días, don Heliodoro y la compañía.

JESÚS.—Buenos.

HELIOD.—¡Hola, hola! ¿A qué debemos el honor de recibir a estas horas tan lucida representación de la golfería de este pueblo?

JESÚS.—Hemos preguntado por usted, don Heliodoro, para que nos dejaran subir; pero queremos hablar a la señora Marquesa y demás señoras de la Junta. . . . Yo, de lo que me importa . . . . éstos . . . , no sé.

REPELONA.—Yo, de pedir justicia y de que se sepa quién es cada uno y de que esas señoras no vivan en un puro engaño y sepan a quién socorren, que están entregadas a cuatro lagartas que les hacen ver lo blanco negro; cuatro beatonas que son las peores del pueblo y son las que nos sacan las faltas a las demás para ser ellas solas y que las señoras no atiendan a nadie más que a ellas. . . .

Hipócritas, embusteras, que andan averiguando a qué hora van las señoras a la iglesia para irse allí a darse golpes de pecho, a besar el suelo, y después. . . . ¡Ay!, después. . . . Como si una no supiera quién es cada una. . . . Y por mi salud que una a una *he de irlas cogiendo en lo suyo y he de correrlas por esas calles cada vez que las coja. Ahí está *la del tío Cacharrero, que es la que más habla, la que *salió de nazareno este Viernes Santo. . . . En el *paso de los azotes debió ir la condenada, que *no la hay más perra ni más remala en el pueblo, ni creo que en el infierno.

TERESA.—¡Qué mujer ésta! Debe ser temible.

HELIOD.—Bueno, bueno; reprime tu justa cólera y deja hablar a los hombres. Tú, Cabrera, cuyo nombre ha traspuesto los límites de este pueblo, el tercero de tu dinastía. . . . ¿No es eso?

CABRERA.—Sí, señor, excelentísimo señor don Heliodoro; Cabrera tercero, para servirle y a la compañía, *la excelentísima señorita, tan reguapísima como es; de su excelentísima familia de usted. ¿No es verdad, don Heliodoro?

HELIOD.—Sobrina mía.

CABRERA.—*Por muchos años y muy largos.

HELIOD.—Pero no te interrumpas; quedamos en que eres el tercero de tu gloriosa casta.

CABRERA.—Sí, señor, excelentísimo don Heliodoro. Usted nos ha conocido a todos. Mi padre gran borracho, mi abuelo gran borracho también. Mi abuelo sirvió en el ejército a las órdenes del excelentísimo general *don Ramón Cabrera. Esta boina blanca fué del excelentísimo señor general, que se la regaló a mi abuelo.

HELIOD.—Ya lo sabes; esa boina fué del general y fué blanca.

CABRERA.—Yo también hubiera sido militar, nací para la guerra. Porque ¿qué hace un hombre en la paz? Podrirse. No queda otro recurso que beber; por eso bebo yo, por no podrirme. Pero no se hacen cargo y me llaman

5 borracho. No es verdad; borracho es el que bebe por beber, y eso es repugnante. Borracha es ésta, *la Repelona*, aquí presente, que es la que nos ha traído el descrédito *con las excelentísimas señoras de la excelentísima Junta. Yo no falto a nadie, sufro el vituperio con mo-

10 destia. . . . Soy mártir de mis ideas, como mi abuelo.

TERESA.—¡Ay, tío! ¡Me da mucho miedo esta gente!

NATIVIDAD.—Señorita, haga usted porque se vayan pronto.

HELIOD.—A mí me divierten. Y tú, Jesús, ¿qué dices?

15 JESÚS.—Yo no digo nada. ¿Qué quiere usted que diga? Quiero decir a la señora Marquesa y a las demás señoras y señores de la Junta, que haré todo lo que ellos quieran, que me pondré al oficio que quieran; yo no tengo la culpa de ser torpe para los oficios; me gusta más salir

20 a la mar o me gustaría correr tierras; pero, en fin, haré lo que quieran, ya digo. Yo no hice otra cosa mala que escaparme dos veces, y las dos veces fué porque me dijeron que no valía para nada y quise ver si por el mundo adelante valía para algo. Y un día que bebí sin tenerlo

25 por costumbre y me junté con éstos, y dijimos no sé qué cosas y las señoras se enteraron. . . . Eso es todo lo malo que yo hice, y por eso me tratan peor que a un ladrón y no me quieren en ninguna parte, ni los patronos de barco me quieren por no ponerse a mal con los señores,

30 y tengo que andar al contrabando con los Pimentones, que son los únicos que me han querido con ellos. Y luego dirán todos *que entre qué gente ando y en malos asuntos. Ya lo sé que está mal y que un día nos cogerán los cara-

bineros y nos darán un tiro, ¡ojalá y fuera eso!, o nos
meterán en la cárcel.   Pero, ¿qué hace un hombre cuando
se ve como yo?   Que me perdonen las señoras y aquí me
tienen, haré lo que quieran, lo que manden, ya digo. . . .

HELIOD. (*A* TERESA).—¿Tengo yo razón?   5

TERESA.—Si es verdad lo que dice. . . . ¿Oyes, Natividad?

NATIVIDAD (*Rompiendo a llorar*).—Me da mucha pena.

JESÚS.—Tú sabes que es verdad lo que digo, por eso
lloras, pero eres muy cobarde; porque me has dicho   10
siempre que me querías y ahora no te atreves a decirlo;
pero tendrás que decirlo, lo dirás. . . .

NATIVIDAD.—¡Señorita!   Me da mucho miedo. . . .
¡La señora Marquesa!

ESCENA XVIII

DICHOS, LA MARQUESA, DOÑA ESPERANZA y DOÑA ASUNCIÓN
por la segunda izquierda

MARQUESA.—¿Qué es esto?   ¿Qué significa esto?   (*A*   15
NATIVIDAD) ¡Tú aquí otra vez!   Y vosotros, ¿qué hacéis aquí?   ¿Han visto ustedes?

ESPERANZA.—¡Qué atrevimiento!

ASUNCIÓN.—¡Qué desvergüenza!

MARQUESA (*A* HELIODORO).—Has sido tú, de fijo,   20
quien los ha recibido.

HELIOD.—Yo, sí; lo menos que se puede hacer es oírlos.
Jesús viene a pediros perdón.

MARQUESA.—¡A buena hora!   ¡Ya se le ha perdonado
bastante!   25

HELIOD.—¡Nunca se perdona bastante!

MARQUESA.—Ya sabemos a qué atenernos con su arrepentimiento.   (*A la* REPELONA *y al* CABRERA)   ¿Y vos-

otros? Tú, lo de siempre; cuando necesitas algo, muy compungida, muy humilde; *viene a contarnos que no quiere vivir con ese hombre, que la libremos de él, que la amparemos, y apenas consigue lo que quiere, vuelve
5 a las andadas, a vivir en pecado, a ser el escándalo del pueblo.

CABRERA.—Excelentísima señora Marquesa: con todos los respetos a la excelentísima señora Marquesa y a estas excelentísimas señoras, eso de separar a dos personas que
10 viven propiamente como matrimonio. . . .

MARQUESA.—¡Calla, calla! No puedo oírlo.

REPELONA.—Pero, señora Marquesa, yo bien estaría tan casada como la primera; pero *si no puede ser, si nadie sabe de mi marido, que va para diez años que me
15 dejó sin decir palabra, y *ésta es la hora que no sé si está vivo o muerto. ¿Qué hace una mujer en mi caso?

MARQUESA.—¿Oyen ustedes?

ESPERANZA.—Vivir con decencia y *como Dios manda.

REPELONA.—Yo con decencia vivo, y nadie dirá que
20 ando con unos y con otros, como muchas. . . .

ESPERANZA.—Lo de siempre: calumniar, sacar a relucir historias. . . .

REPELONA.—Historias, sí, señora, historias . . . de esas que las emboban a ustedes con manto de santas. . . .
25 Y de muchas señoras que andan en la Junta, también sé yo algo, que todas no son como ustedes. . . . Pregunten ustedes a *la de don Gumersindo a qué va una tarde sí y otra no a casa de la Cacharrera, que la casa tiene dos puertas a dos calles, y yo sé quién entra por la otra.
30 MARQUESA.—¡Calla, calla, que ni queremos oírte!

REPELONA.—¿Y de la Jueza, quieren ustedes saber algo?

ESPERANZA.—¡Jesús! Una señora tan respetable. . . .

REPELONA.—Y tan santa. De eso se fían ustedes, de la santidad. Así hacen ustedes las caridades, a quien mejor engaña, y *los que decimos nuestro sentir somos los malos. . . . Pero yo les digo a ustedes que quien les ha quitado a ustedes la voluntad de socorrernos *tienen que oírme, y se oirán cosas. . . . Que *a la hija de mi madre *el que se la hace se la paga.

MARQUESA (*Llamando*).—Don Francisco, Pedro, vengan ustedes, pongan a esta gente en la calle. (*A don* HELIODORO) Y tú, ¿qué haces?

ESPERANZA.—Esto no puede oírse.

ASUNCIÓN.—¡Qué gente, qué gente!

JESÚS.—Tiene razón, tiene razón. Con ustedes no vale la verdad; pero esto que hacen ustedes ahora no está bien . . . , no está bien. Ésa no se casa con Martín, yo lo digo. Ésa no puede ser más que mi mujer.

NATIVIDAD.—¡Señora Marquesa!

MARQUESA (*A* JESÚS).—A ti ya te arreglaremos, ya te lo dirán el jefe de *la Guardia Civil y el señor Juez.

JESÚS.—¿Qué van a decirme? ¿Que me vaya del pueblo? Mejor; me iré, me iré . . . , pero puede que deje recuerdo.

MARQUESA.—¡Qué insolencia!

ESPERANZA.—¡Amenazas!

MARQUESA.—Esos criados. . . . ¡Don Francisquito!

ESCENA XIX

DICHOS, DON FRANCISQUITO *y un* CRIADO *por la segunda derecha.* EL MARQUÉS *y* ENRIQUE *por la izquierda*

FRANCIS.—Señora Marquesa. . . .

MARQUÉS.—¡Tía! . . .

ENRIQUE.—¡Mamá! . . .

MARQUESA.—¡Pronto! Echad a esa gente a la calle....

ESPERANZA.—¿Cuándo se ha visto cosa igual? ¡En qué momento le saludo a usted, Marqués!

MARQUÉS.—Doña Esperanza. . . . Asunción. . . .

5   FRANCIS.—Vamos, que no tengamos que echaros a empellones. Fuera de aquí. . . .

REPELONA.—Sí; ya nos vamos. Pero *oírnos, han de oírnos adondequiera. . . .

CABRERA.—Siempre mártir, sufro el vituperio con modestia. . . .

10   JESÚS.—Tú, ya lo sabes, con Martín no te casas.

FRANCIS.—¡Silencio todos! . . . ¡A la calle, a emborracharse, a gritar allí, a la calle! (*Se van disputando, por la segunda derecha,* JESÚS, *la* REPELONA, CABRERA, *don* FRANCISQUITO *y el* CRIADO.)

15

ESCENA ÚLTIMA

LA MARQUESA, DOÑA ESPERANZA, ASUNCIÓN, TERESA, NATIVIDAD, EL MARQUÉS, DON HELIODORO *y* ENRIQUE

MARQUESA.—¿Han visto ustedes?

NATIVIDAD.—¡Ay, señorita!

ESPERANZA.—No te asustes; ya le ajustarán las cuentas.

20   MARQUÉS.—Gente desagradecida, ¿no es eso?

ASUNCIÓN.—Ya lo ve usted.

MARQUESA (*A don* HELIODORO).—Por supuesto, de todo esto tú tienes la culpa. . . .

ESPERANZA.—Eso, eso; usted, usted.

25   ASUNCIÓN.—Usted les da alas. . . .

MARQUESA.—Celebras sus desvergüenzas; les permites entrarse aquí; los desmoralizas, como si ya no lo estuvieran bastante.

HELIOD.—¿Conque yo, eh? . . . Vaya, no quiero hablar yo también; jaqueca por jaqueca, prefiero la que yo tome a la que me den ustedes. *Señores. . . . (*Vase por la izquierda.*)

ESPERANZA.—Natividad se ha puesto mala.

MARQUESA.—Claro, se ha asustado . . . ; las amenazas de ese pillo. . . .

ASUNCIÓN.—No hagas caso, hija. . . . Ya le dirán lo que hace al caso. . . .

MARQUÉS.—¡Cuántos disgustos cuesta el hacer bien!

ESPERANZA.—*No lo sabe usted bien, querido Marqués. . . . En cuanto salgamos a la calle, esa tarasca *nos apedrea.

MARQUÉS.—Yo saldré con ustedes.

ASUNCIÓN.—Pero, Natividad, vamos. . . . A esta chica le va a dar algo. . . .

ESPERANZA.—Una taza de tila.

MARQUESA.—Traedla aquí dentro. Yo tengo antiespasmódico.

MARQUÉS.—¡Qué disgusto! (*Se van todos por la izquierda, menos* TERESA *y* ENRIQUE, *que quedan en escena.*)

ENRIQUE.—¿Has presenciado toda la escena?

TERESA.—Sí, y estoy muy conmovida. Ese pobre muchacho. . . . Podrá ser malo, pero oyéndolo no lo parece.

ENRIQUE.—¿Verdad que no? Yo creo lo mismo; y creo que Jesús era el que debía casarse con Natividad. . . . Sería más bonito.

TERESA.—Sí . . . , pero la vida no es tan bonita. . . .

ENRIQUE.—Aunque hay en ella muchas cosas bonitas.

TERESA.—¿Eh?

ENRIQUE.—Como tú.

TERESA.—¡Primo! ¡Ja, ja, ja! . . .

ENRIQUE.—Calla, calla.   No vayas a decir a nadie que yo te he dicho. . . .

TERESA.—A nadie, descuida. . . . Quedará entre los dos. . . . Guardar un secreto es también muy bonito, ¿verdad?

ENRIQUE.—¡Muy bonito!

FIN DEL ACTO PRIMERO

ACTO SEGUNDO

Jardín con verja al foro y puerta en el centro, en la casa de la MARQUESA *viuda de Casa-Molina. Dos butacas y seis sillas de mimbre. Es de día*

ESCENA I

DON FRANCISQUITO, *sentado a la izquierda en una butaca, dormido y con un libro sobre las rodillas. Después* DON HELIODORO, *que sale por el segundo término derecha*

HELIOD. (*Llamándole*).—Don Francisco, don Francisquito, don Francisquito . . . , *quito . . . , quito. . . .

FRANCIS. (*Despertando*).—¿Eh? . . . ¡Ah! Don Heliodoro.

HELIOD.—¿Se dormía la siesta?   5

FRANCIS.—No, ya lo ve usted; leía muy entretenido. . . . ¡En mi cuarto hace un calor! . . .

HELIOD.—Y en el mío. En esta casa las únicas habitaciones cómodas son las de respeto. Nosotros, cuerpos pecadores, bueno es que nos mortifiquemos; este achi-   10 charrarnos de ahora y estos picotazos de mosquito nos serán descontados en el infierno.

FRANCIS.—Don Heliodoro, ¿por qué es usted tan volteriano? Antes no era usted así, tan descreidote. . . .

HELIOD.—Cuando tenía dinero, es verdad. ¿Qué   15 quiere usted? Cuando se tiene dinero se cree en todo. A propósito. . . .

FRANCIS.—A propósito de dinero, ¿verdad? Ya sé lo que va usted a decirme.

HELIOD.—Como que he dejado de dormir mi siesta sólo   20

43

por cogerle a usted aquí a solas; porque cuando presume usted que necesito hablarle se me escurre usted como una anguila.

FRANCIS.—Por evitar discusiones.

HELIOD.—Discusiones, discusiones. Usted es el que puede evitarlas. Vamos a ver, don Francisquito; hoy no vamos a discutir, me da el corazón que hoy no discutimos.

FRANCIS.—No, señor; no discutimos, porque de una vez, y en redondo, se lo digo a usted. No puede ser, no puede ser, no puede ser.

HELIOD.—*¿Lo ve usted cómo es usted el que empieza la discusión? No puede ser, no puede ser; siempre me dice usted lo mismo.

FRANCIS.—Porque usted me pide siempre lo mismo, dinero.

HELIOD.—¡Dinero! ¡Cualquiera que le oiga a usted! . . . ¡Dinero! Un anticipo de quince duros, un anticipo miserable.

FRANCIS.—Pero, don Heliodoro, si aún no estamos a quince. ¿Es posible *que haya usted gastado toda su asignación?

HELIOD.—Mire usted, don Francisquito, todo se lo consiento a usted menos que llame usted asignación a esa porquería. ¡Cuarenta duros una asignación!

FRANCIS.—¡Pero cuarenta duros en quince días! ¿En qué pueden gastarse en este pueblo?

HELIOD.—*Es que yo no me gasto el dinero en este pueblo; me lo gasto en mí, en mí propio, que me considero capital de primer orden. *Lúculo come en casa de Lúculo. Heliodoro vive en sí mismo, no en este pueblo, ni en el otro. . . . Yo soy yo. . . .

FRANCIS.—No lo eche usted a broma. Ya sabe usted

que la señora Marquesa *me tiene prohibido que le preste o anticipe cantidad alguna.

HELIOD.—Pero ¿qué necesidad hay de que lo sepa mi hermana?

FRANCIS.—Ésa es buena, y es usted el primero en decírselo.

HELIOD.—¿Yo, yo? *¿Que yo digo que usted me anticipa dinero?

FRANCIS.—No, decirlo no. Pero ¿usted cree que necesita usted decirlo para que le conozcan a usted cuando tiene dinero? Todos los meses ya se sabe: *de uno al diez, tiempo revuelto; del diez al quince, bonanza.

HELIOD.—Calma chicha, querrá usted decir.

FRANCIS.—Y si yo me ablando, del quince al veinte, tempestad deshecha, ciclones y mareas vivas; de modo que, al depender de mí, he decidido que este mes se asegure el tiempo.

HELIOD.—Es usted un Gracián hablando por alegorías. Pero considere usted. . . .

FRANCIS.—¡Nada, nada! Si insiste usted, se lo diré a la señora Marquesa. Este mes no hay anticipo.

HELIOD.—Pero don Francisquito, *que ahora no es para lo que usted se figura. La partida de tresillo del Casino me ha pintado muy mal. . . . Tengo deudas, deudas de juego; usted sabe que las deudas de juego son sagradas.

FRANCIS.—¿Sí? Pues a mí no me paga usted nunca *que jugamos y usted pierde. Recuerde usted los cuatro duros de la otra noche.

HELIOD.—¿Lo ve usted, lo ve usted cómo las deudas del juego son sagradas? No quiero que me avergüence usted por cuatro duros; le pago a usted en el acto si me anticipa usted veinte duros en lugar de quince.

Francis.—Vaya, don Heliodoro, no tengamos un disgusto, como siempre, por estas tonterías. Si quiere usted diez pesetas, es lo que puedo darle; y no como anticipo: diez pesetas de mi bolsillo, que puede usted sumar a esa
5 deuda sagrada.

Heliod.—¡Diez pesetas! Aún no pido limosna. . . . Guárdese, guárdese esas diez pesetas. ¡Ah, Heliodoro, Heliodoro; *era cuanto te quedaba que ver en este mundo! . . . Déme usted veinticinco siquiera; son quince más y
10 no es tan vergonzoso aceptarlas.

Francis.—No tengo más, don Heliodoro; si las tuviera. . . .

Heliod.—Bien está; no discutamos. . . . *Vengan esas diez pesetas. ¡Apuremos el cáliz! Me debe usted
15 quince; *siempre hemos de acabar porque sea usted el que me deba dinero.

Francis.—Y procure usted que la señora Marquesa no se entere.

Heliod.—¿De qué se ha de enterar con diez pesetas?
20 ¿Qué idea tiene usted de mí? Esto es encerrar a un águila en un cuarto bajo.

ESCENA II

Dichos y Teresa por la segunda izquierda

Teresa.—¡Hola, tío!

Heliod.—¿Tampoco tú duermes hoy siesta?

Teresa.—No; yo no acostumbro.

25 Heliod.—Ni tu marido te dejaría; ronca de un modo , . . ; ya le oigo, ya. Ahora que estamos solos, ¡qué odioso me es tu señor marido!

Teresa.—Tío, por Dios; no tienes razón, y además no estamos solos.

HELIOD.—Don Francisquito está en el secreto, en todos los secretos; es uno de nuestros más eminentes cucos.

FRANCIS.—¡Este don Heliodoro! . . . La Marquesa ya le conoce y no le hará caso.

HELIOD.—Sí, sí; todos nos conocemos, don Suave, como yo le llamo. Es lástima que sus aptitudes diplomáticas se pierdan en tan reducida esfera.

FRANCIS.—Vaya, don Heliodoro. . . .

HELIOD.—Dime tú si sostener el equilibrio entre las diez o doce señoras que aquí mangonean no es más difícil que sostener el equilibrio europeo.

FRANCIS.—Con su permiso, señora Marquesa, me retiro. Este don Heliodoro. . . . (*Vase por la segunda derecha.*)

ESCENA III

TERESA y DON HELIODORO

HELIOD.—*El que no le entienda que le compre. Volviendo a tu marido. . . .

TERESA.—Tío, por Dios. . . .

HELIOD.—Escúchame: *si estamos de acuerdo, de otro modo no te lo diría. No puedo con esos hombres de una idea, que trazan la línea recta de su vida conforme a esa idea, muy orgullosos de ajustar a ella toda su conducta. Como si las ideas se tuvieran más que por una de estas dos cosas: por temperamento o por conveniencia. En tu marido todo se une; porque, eso sí, es muy equilibrado. Es *de esos hombres que gradúan con escala hasta las sonrisas: tanto para los iguales, tanto para los inferiores; para los superiores tanto. ¡Y con qué aire compasivo nos considera a los que no pensamos como él! Parece que quiere decirnos: «En este mundo tengo que soportaros por desgracia; pero después . . . , vosotros al infierno,

yo a la gloria, *vestido y calzado. . . .» División de
castas. Te digo que es insoportable. A mí que me den
santos de veras: San Franciscos, Santas Teresas, San
Pablos, o que me dén fanáticos, todo pasión y fuego:
5 Savonarolas, Calvinos, Torquemadas; pero estos tartufos
dulzones de ahora, que ni se abrasan ellos espiritualmente,
ni nos abrasan materialmente, sin más armas que feme-
niles alfileres, me sublevan, me indignan. . . . Uno de
ellos basta para infernar una familia; lo sé por experien-
10 cia; figúrate multitud de ellos lo que harán en el mundo.
Y son de manera que, si por tolerancia mal entendida se
les consiente, se envalentonan, y toman la tolerancia por
miedo o por acatamiento que se les debe; si por natural
defensa se les combate . . . , ¡ah!, entonces son los pri-
15 meros en invocar la libertad que ellos odian y la tolerancia
que ellos no practican. . . . ¡Mala ralea!

TERESA.—¡Qué exaltación, tío!

HELIOD.—Hablo así porque he padecido mucho con
nuestra familia. Cierto es que cometí ligerezas y errores
20 cuando, al morir mi padre, me hallé dueño de una fortuna; me habían educado tan estrechamente, con tanta
severidad, que, por natural reacción, rompí todo freno al
verme libre. Y sucedió lo que había de suceder. No
habían fortalecido mi voluntad; la habían destruído: el
25 sistema de educar y gobernar en España. Comprometí
locamente mis intereses. La lección fué dura, pero pudo
ser provechosa si entonces me hubieran salvado generosamente. Pero no; me consideraron incapaz de todo, vol-
vieron a tratarme como de niño, cuando entonces em-
30 pezaba en realidad a ser hombre. Mi cuñado, el Marqués de Casa-Molina, un hombre así como tu marido,
hombre de ideas, de principios, se comprometió a salvarnos a mi hermano Ramón, tu padre, que era como yo,

ya lo sabes, y a mí; pero de qué modo: humillándonos
para siempre, incapacitándonos para intentar siquiera
rehacer nuestro crédito y nuestra fortuna. Tu padre
murió desesperado; yo . . . , yo tuve que separarme de
la mujer que era todo mi cariño, debí abandonarla con   5
un hijo que era mi única ilusión, debí casarme con quien
ellos exigieron; ya tú sabes si fuí feliz en mi matrimonio. . . . Por todo entraron como invasores en nombre
de su idea . . . : por nuestra hacienda, por nuestra casa,
por nuestro corazón. Y yo, sin voluntad entonces, con-   10
sentí en todo, porque, como ellos aseguraban, creía yo que
el nombre y el honor de nuestra familia era antes que
todo y había que salvarlo a cualquier precio. Y todo se
salvó, todo, menos la mujer que yo quería, mi hijo ado-
rado . . . y yo; yo, que no soy yo, porque nada hay en   15
la vida que sea mío, y sólo me conozco, así, al protestar
de tarde en tarde, unas veces con burlas, que parecen
bufonadas de loco; otras con rebeldías, que les parecen
ingratitud . . . ; pocas, muy pocas, con lágrimas de muy
hondo, *para mí solo o, como ahora, con alguien como   20
tú . . . , que lloras también . . . por mí y por ti al
mismo tiempo. . . . Porque algo padeciste de lo que yo
he padecido. . . . ¿No es verdad, hija mía?

TERESA.—Sí, tío, sí; sólo a tí me atrevería a decírtelo.
. . . ¡Soy muy desgraciada!   25

HELIOD.—¿Lo ves? ¡Pobre hija mía!

ESCENA IV

DICHOS y ENRIQUE *por el tercer término derecha*

ENRIQUE.—¿Estabais aquí? Ya decía yo: en el jardín
debe haber alguien.

TERESA.—¿Nos oíste hablar desde tu cuarto?

ENRIQUE.—No; es que yo bajé por curiosidad; estaba escondido, en acecho.

TERESA.—¿En acecho?

HELIOD.—¿Hay algo que acechar?

ENRIQUE.—¡Ya lo creo! Muy interesante.

TERESA.—¿Sí? Habla, habla.

ENRIQUE.—Ya sabéis que desde que mamá se trajo aquí a Natividad para que estuviera en casa hasta el día de su boda con Martín, la pobre muchacha no ha salido una sola vez, para evitar escenas como la pasada.

HELIOD.—Sí; es lo más parecido a un secuestro.

ENRIQUE.—Ya sabéis que de Jesús no había vuelto a saberse nada.

TERESA.—No. Hubo quien dijo que se había embarcado para el Brasil, o qué sé yo dónde.

HELIOD.—Por cierto que, cuando dieron la noticia, todas esas señoras clavaron los ojos en la muchacha para observar si le impresionaba mucho.

TERESA.—Pero ella estuvo muy serena.

ENRIQUE.—¡Ya lo creo, como que sabía que estaba aquí!

TERESA.—¿Cómo?

ENRIQUE.—Veréis. En estas horas de la siesta, ya sabéis que todos estamos recogidos en casa.

HELIOD.—Las personas serias sí. . . . Tu madre *lo tiene preceptuado con frase inapelable como todas las suyas: «A estas horas no se puede estar en el jardín.» Pero nosotros nos hemos propuesto demostrar que se puede; con la mayor parte de las cosas de que le dicen a uno que no puede ser sucede lo mismo: todo es atreverse.

TERESA.—Deja contar a Enrique.

ENRIQUE.—Ayer bajé yo como hoy; no tenía sueño, cogí un libro.

HELIOD.—Sí, de mi biblioteca particular, ya lo noté; ten cuidado que no lo vea tu madre.

ENRIQUE.—¡Tío!   No es tuyo el libro, te aseguro. . . .

HELIOD.—Bueno, bueno; si yo no me asusto; ya he visto que le faltaban cuatro láminas.

ENRIQUE.—¡Tío!

TERESA.—¿Y qué libro es ése?

HELIOD.—¡Una friolera! *El desnudo en el Arte.* Tú verás dónde guardas las estampitas, porque como tu madre las coja. . . .

ENRIQUE.—¡Bromas del tío!

HELIOD.—Bueno, sigue.   Teresita no se asusta tampoco.

ENRIQUE.—¿Me dejas contar . . . ?

HELIOD.—Sí, hombre, sí; estamos muy interesados.

ENRIQUE.—Pues estaba yo en el cenador leyendo y de pronto oigo pasos muy callandito y veo a Natividad que, mirando a un lado y a otro, se dirige a la puertecilla del huerto, la abre y entra Jesús, y los dos se ponen a hablar y estuvieron hablando una media hora, y al despedirse. . . .

HELIOD.—Se dieron un beso.

ENRIQUE.—¿Lo vió usted también?

HELIOD.—Como si lo hubiera visto.

TERESA.—¿Y no pudiste oír nada?

HELIOD.—Sí, el beso.   ¿Te parece poco?   Por ahí comprendería que no regañaban.

ENRIQUE.—Sí, oí algo; él quedó en volver hoy.

TERESA.—¿Hoy?

ENRIQUE.—Y es la hora; por eso bajé; pero, sin duda, como estabais aquí. . . .

TERESA.—¿Habremos desbaratado la combinación? ¡Qué lástima!

HELIOD.—Aún puede ser tiempo. Esto me interesa.
. . . Vámonos cada uno por nuestra parte. . . . Yo haré
como que salgo a la calle y volveré a entrar por el cocherón; vosotros hacéis como que entráis en la casa, vol-
5 véis a salir y os escondéis donde os parezca. Es preciso
ver, enterarse. . . .

TERESA.—Sí, sí. Esa historia me interesa mucho. . . .

ENRIQUE.—¡Y a mí, y a mí! Es como si leyera una
novela.

10 HELIOD.—Con estampas. Ahora dispersión general, y
después al acecho.

TERESA.—Sí, sí. ¿Dónde puedo yo esconderme?

ENRIQUE.—Ven conmigo.

TERESA.—Juntos será más difícil que no nos vean.

15 ENRIQUE.—No, no; verás, yo sé muchos escondites.

HELIOD.—Sí, sabe más de lo que tú te figuras.

ENRIQUE.—¡Tío!

HELIOD.—Hasta luego; aquí a comunicarnos las obser-
vaciones. . . . ¡Estoy en mis glorias! (*Se va por el foro,*
20 *y* TERESA *y* ENRIQUE *por el segundo término izquierda.*)

ESCENA V

NATIVIDAD *por el tercer término izquierda.* JESÚS *por el tercer*
término derecha

JESÚS.—Creí que hoy no venías; creí que me habías
engañado ayer para que me fuera antes.

NATIVIDAD.—No; había gente en el jardín y no sé
todavía. . . . Gracias a que será la señora Marquesa
25 joven, que es muy buena y no dirá nada. Me ha tomado
tanto cariño y yo a ella. . . . Es muy buena. Pero no
puedo estar mucho tiempo.

JESÚS.—No. ¿Para qué? Este anochecido me embarco. . . . ¿Qué dices?

NATIVIDAD.—¿Qué voy a decir?

JESÚS.—Algo. . . . Que lo sientes o que te alegras; algo verdad, que nunca dices nada.

NATIVIDAD.—¿Qué voy a decir? Que me alegro, no es verdad; que lo siento, no vas a creerlo; de modo que para ti como si fuera verdad. Por eso me callo, es lo mejor.

JESÚS.—No nos volveremos a ver. ¡Parece mentira! Separarnos, no vernos más, no saber uno de otro.

NATIVIDAD.—¿Por qué no hemos de saber?

JESÚS.—Pensarás que yo voy a escribirte a tu casa y que el otro te consentirá escribirme. . . . Es decir, el otro puede que sí lo consintiera; como no te quiere, como sólo se casa contigo por su conveniencia. . . .

NATIVIDAD.—Eso no; me quiere, nos queremos.

JESÚS.—No es verdad, no es verdad, no os queréis. Si no os habéis hablado dos veces sin testigos, y para eso os habían dicho antes lo que teníais que deciros. Si eso no es querer; querer es decirse todo lo que uno lleva dentro, lo bueno y lo malo. . . . Y él, ¿qué te ha dicho nunca? ¿Y qué sabes tú de él? Lo que te han dicho: que es muy formal, muy trabajador, *no se lo niego, y que es muy bueno, porque ha sabido aplicarse al primer oficio a que le pusieron. ¡Si acertaron con su gusto y con su habilidad! *Cada uno servimos para una cosa. Yo también serviré para algo, ya daré con ello. Yo he leído que los que han hecho más cosas en el mundo, al principio han andado siempre muy torpes y muy mal mirados, y todo el mundo creía que no servían para nada. Ahí está Cristóbal Colón, el que descubrió la América, y muchos sabios, y hasta los santos, al principio, por lo regular, eran muy malos.

NATIVIDAD.—Déjate de novelas, Jesús; más te valiera no haber leído tantas cosas malas, que eso te ha hecho ser como eres.

JESÚS.—Como soy, como soy. *¡Válgame Dios que
5 son cosas que no pueden perdonarse! Yo no soy ingrato, no lo fuí nunca, aunque lo digan todos, pero a mí no se me ha tratado como a ti; *las mujeres caéis mejor en todas partes, y a ti siempre te miraron como si hubieras nacido aquí; a mí, no; yo siempre como de fuera, de muy
10 lejos; porque sabían que mi madre era africana, porque había nacido allá, en Orán, pero de españoles, tú lo sabes; de chico me llamaban el morito y judío, y el de los títeres, y *a cualquier cosa, con la misma canción: «Es la sangre, la sangre que no le deja. . . .» Contigo no; como eres
15 así, menuda y blanca, y tan rubia; como no conocieron a tu madre ni a ninguno de los tuyos, ni sabían de dónde eres, creyeron que habías venido por milagro, del mar o del cielo, tú sola, y a ti siempre te quisieron todos; pero a mí no, a mí nadie. . . . Así hubieran dejado que me
20 ahogara; esa hubiera sido la caridad.

NATIVIDAD.—No digas barbaridades; ¿lo ves como eres desagradecido?

JESÚS.—Es que con darle a uno la vida, si la vida es mala, *¡bueno está el favor!

25 NATIVIDAD.—Es muy tarde, Jesús. Los señores van a despertarse. (*Pausa.*)

JESÚS.—¿Y cuándo es la boda?

NATIVIDAD.—El domingo, ya lo sabes. . . . ¡No me preguntes, no hablemos más de eso!

30 JESÚS.—No, ni nada, de nada ya. El domingo estaré yo muy lejos. Para olvidar, dicen que cada legua es un año; veré si es verdad.

NATIVIDAD.—Se oye gente en la casa.

Jesús.—¡Qué miedo tienes! Si me ven vas a perder tu acomodo, ¿verdad? No, no lo pierdas; la conveniencia es lo primero.

Natividad.—¡Jesús! (*Pausa.*)

Jesús.—No, si tienes que ser tú la primera que diga adiós, yo no te lo digo. . . .

Natividad.—Mira que eres. . . . Si yo te quiero mucho.

Jesús.—Pues entonces, ¿qué cariño es ese? No me quieres como yo a ti, que no he pensado en otra mujer más que en ti en mi vida; para mí, como si no hubiera otra; me parecía que Dios nos había salvado juntos para no separarnos nunca. . . . Si me quisieras. . . . ¿A que no eres capaz, a que no te atreves?

Natividad.—No; no vuelvas a decirme lo que ayer. Eso sí que es no quererme; eso sí que es ser malo. . . . ¡Escaparnos! ¡Escaparme yo como una mala mujer! . . . ¡Calla, calla!

Jesús.—Tienes razón. ¿Qué dirían las señoras y todos, y qué te esperaba conmigo? Era echarse en brazos de Dios, y Dios no hace milagros todos los días. . . . Ya nos salvó una vez . . . , y la gente, la gente ya hizo bastante: nos han dado pan, nos han protegido, dicen que nos han hecho mucho bien. . . .

Natividad.—Y es verdad; tú que no sabes agradecerlo.

Jesús.—*Eso habrá sido; ya me castigan, ya. . . .

Natividad.—¡Quién sabe si será tu suerte! ¡Ojalá seas muy rico y muy feliz!

Jesús.—¡Ojalá no lo seas tú nunca!

Natividad.—¡Así me quieres! . . .

Jesús.—Para que te acuerdes de mí. Porque si eres feliz, ¿para qué ibas a acordarte? . . . Dirías siempre: Bien hice en lo que hice, y no te pesaría nada.

NATIVIDAD.—¡Qué modo de pensar!

JESÚS.—*Como lo siento. Por supuesto, ¡tantas cosas siento y me las callo! . . . Dime adiós, adiós . . . para siempre . . . , yo no lo digo. . . . Aunque también di-
5 cen que soy hereje, creo en Dios, y creo que no es para siempre, no sé por qué, pero es que no puede ser, vaya. . . .

NATIVIDAD.—Adiós. . . .

JESÚS.—No, no te doy un beso; para el otro todos. . . . Mío fué el primero, que vale más que todos. (*Vase
10 corriendo por el foro derecha. NATIVIDAD se queda llorando, y al observar que viene gente se va por el tercer término izquierda.*)

ESCENA VI

TERESA y ENRIQUE, *que salen por el segundo término izquierda.*
DON HELIODORO *por el tercer término derecha*

TERESA.—¿Has oído?

HELIOD.—Sí. ¿Y vosotros?
15 ENRIQUE.—Todo. ¡Pobre Jesús!

TERESA.—¡Pobre Natividad!

ENRIQUE.—Ella no; ¡si ella le quisiera . . . !

TERESA.—¿Tú qué sabes de eso? Yo te digo que ella me da más lástima.
20 HELIOD.—Pues *a mí los dos . . . , y ninguno si no hacen caso de mí. Ahora mismo voy detrás de Jesús, le cojo, le hablo . . . y. . . . Ya veréis, ya veréis.

TERESA.—¡Pero tío! . . .

HELIOD.—Nada, nada. Hoy estoy templado, y por si
25 acaso voy a templarme más todavía. Esto lo arreglo yo, o no lo arregla nadie. Me siento genio protector, hada bienhechora como en las comedias de magia. *De lo que ando mal es de talismanes. . . . Porque aquí no vale más que un talismán, el dinero. . . . ¡Dinero! Y

con diez pesetas prestadas no se puede hacer mucha
magia.   Pero allá voy, allá voy. . . . Heliodoro o el genio del amor. . . . Preparad las bengalas para la apoteosis. (*Vase corriendo por el foro derecha.*)

ESCENA VII

TERESA y ENRIQUE

ENRIQUE.—Hará alguna atrocidad.   5

TERESA.—Dejémosle; ya lo dirá el resultado.   ¿Lo
razonable, la locura?   ¿Qué los diferencia en nuestra vida
sino el resultado?

ENRIQUE.—¿Pero te alegrarías como yo de que Natividad no fuera razonable?   Habría que oír a mamá y a   10
todos esos señores; ellos que están tan ufanos con su asociación, creen que de ellos depende la felicidad en esta
vida y la salvación en la otra de todos sus protegidos.
¡Lo que dirían!   Cuando pienso en esto, mira, comprendo
que la muchacha no se atreva. . . . Pero ¿quién les   15
manda disponer así del corazón de las gentes? . . . Claro
que ellos dicen: No, nosotros en esos asuntos los dejamos
en libertad, libertad completa; no hacemos más que indicar, proponer. . . .

TERESA.—Sí; pero cuando se indica y se propone en   20
nombre de beneficios recibidos; cuando se juzgaría ingratitud la menor protesta, rebeldía la menor resistencia.
. . . Y cuando se está solo en el mundo y protestar es
aventurarse a lo desconocido, o peor todavía, a lo ya
conocido, a la pobreza, en la que nadie puede responder   25
de su corazón ni de su conciencia . . . , porque sólo el
que pasó por ello puede saber *lo que acobarda ser pobre,
sin nada de lo que alegra la vida, de lo que da indepen-

dencia a nuestro corazón y a nuestras acciones. . . . Y un día y otro la misma perspectiva de luchar y luchar desesperado. . . . Créelo; a los que sucumben y desfallecen en esta lucha, sólo los que han vivido algún tiempo en la pobreza deben juzgarlos; los demás no tienen derecho.

ENRIQUE.—Sí . . . , para una mujer sola sobre todo. . . . Comprendo que Natividad se resigne. Pero es muy triste resignarse, y al empezar a vivir, vivir ya de recuerdos. . . . Porque el primer amor no debe olvidarse nunca. ¿Verdad?

TERESA.—¡El primer amor!

ENRIQUE.—¿Tú no has querido nunca?

TERESA.—¡Enrique!

ENRIQUE.—No me dirás que tu marido fué tu primer amor, ni creo que el segundo, aunque no hayas querido más que una vez.

TERESA.—¡Enrique!

ENRIQUE.—Tu historia es la de Natividad; por eso te interesa tanto. También a ti te salvaron de un naufragio. . . . Y tú acabas de decirme por qué te casaste. Y de seguro hay algún recuerdo en tu vida. Ese primer amor que no se olvida nunca.

TERESA.—¡Bah! Eso crees. Dentro de algunos años tú me dirás si se olvida, yo no puedo decírtelo. A la edad en que pude sentir ese primer amor, fué cuando todas las tristezas cayeron sobre nuestra casa. Nadie me habló de amor. Para los de mi clase, yo no era un partido ventajoso; para los de clase más humilde era todavía mucho . . . ; una señorita mal acostumbrada, como suele decirse. A unos no les convenía yo, pobre; los otros no se atrevían a ofrecerme su pobreza. Y piensa que, unos por calculadores, otros por cobardes, mal podían inspi-

rarme simpatía.   Así es que ese primer amor, que nunca
se olvida, como tú dices, para mí no ha existido. . . . Yo
no puedo tener ese recuerdo, y si no hay un recuerdo de
amor en mi vida, comprende que ya mucho menos puede
haber una esperanza.

ENRIQUE.—¡Esperanza!   Yo tampoco tengo esperanza
y soy joven . . . como tú.

TERESA.—¿Como yo?   Tú eres un niño.

ENRIQUE.—Pues como si fuera un viejo, porque ya toda
mi vida será para mí un recuerdo.

TERESA.—¡Qué gracioso!   Ya te dije que dentro de
unos años, muy pocos, volveré a preguntarte por ese
recuerdo. . . . Cuando en este jardín haya otras flores
como éstas, que ya no serán éstas . . . , y otras mariposas blancas y azules como éstas . . . , que tampoco
serán las mismas. . . .

ENRIQUE.—Pero yo sí, yo seré el mismo.

TERESA.—Como el jardín . . . , ¿verdad?   Pero en
tu corazón habrán florecido otras flores, y en tu pensamiento revolotearán otras mariposas.

ENRIQUE.—¿Mariposas?   No . . . , mira, mira . . . ,
un abejorro es lo que revolotea.   ¡Mal agüero!

TERESA.—¿Eres supersticioso?   No; al aire libre no es
mal agüero; sólo cuando se entra en nuestra habitación
y zumba alrededor nuestro.   Pero aquí no. . . . Mira
en cambio cuántas mariposas blancas, azules. . . .

ENRIQUE.—Las blancas son noticias alegres que llegan. . . . ¿Esperas alguna buena noticia?

TERESA.—¿Yo?   ¿De quién?   ¿De dónde?   ¡Ah!, sí;
espero una carta, una carta. . . .

ENRIQUE.—¿De quién?

TERESA.—De mis hijitas . . . no, de mis hermanas,
de las niñas; les escribí al colegio una carta que les habrá

alegrado a ellas también. ¡Las pobres criaturas, sé yo
que estaban tristes! De pequeñas nos cuentan historias
de madrastras, ¡historias horribles! Alguien les habría
dicho, con mala intención, que ellas también tenían ma-
5 drastra. . . . Escribieron a su padre muy triste, pero yo
les escribí en seguida una carta con tanto cariño, con todo
mi corazón, y espero que me contesten con muchos besos,
llamándome mamita, mamita suya. . . . Ya lo ves . . . ,
no hay duda, hoy llega la carta; me lo anuncian las mari-
10 posas blancas.

ENRIQUE.—¿Y las mariposas azules, qué anuncian?

TERESA.—Cuando yo era niña, en el colegio, creíamos
que venían de parte de los muertos que nos quisieron
en vida y estaban en el cielo, de las almas bienaventu-
15 radas; en los camposantos hay muchas mariposas azules.

ENRIQUE.—Pues si es eso, dentro de algún tiempo, de
muy poco, cuando vuelvas aquí, verás cuantas mariposas
azules.

TERESA.—¡Ja, ja! . . . ¿Piensas morirte, primito?

20 ENRIQUE.—No te rías. . . . ¿Crees que soy un niño?
¿Que no siento, que mi vida no es muy triste? Yo sé
querer aunque no me quieran.

TERESA.—*¡Ya!; ese primer amor que nunca se olvida.
¿Y quién es, quién es? ¿Puedo yo saberlo?

25 ENRIQUE.—No te burles de mí.

TERESA.—¿Burlarme? No. De nada que sea tristeza
para nadie. . . . Pero ya olvidarás ese amor, te lo aseguro. . .

ENRIQUE.—¿Tú qué sabes si puede olvidarse?

30 TERESA.—¿El primero? Sí, Enrique. Ya verás qué
poco significa para ti su recuerdo y las mariposas blancas,
que anuncian cartas de los ausentes, y las mariposas
azules, que nos saludan de parte de los muertos. . . . Ya

lo verás; eres muy niño. . . . ¡Tu primer amor!   ¿No
has de olvidarlo? . . .

ENRIQUE.—Así lo hubieras sentido tú, a ver si te acordabas siempre.

TERESA.—¿Quisieras que hubiera sentido el primero?   5
Pues más que eso, Enrique, el que no se olvida, ése sí
que no se olvida.   ¡El último!

ENRIQUE.—¡Teresa!

TERESA.—¡Chist!   Quita, quita.   ¿No ves?   El abejorro, que vuelve a zumbar.   Ayúdame a espantarlo.   10

ENRIQUE.—¡El abejorro!   Doña Esperanza y Asunción que llegan al jardín. . . . Ésas sí que son de mal
agüero . . . y oportunas. . . .

ESCENA VIII

DICHOS, DOÑA ESPERANZA y ASUNCIÓN, *que salen por el foro
derecha*

ESPERANZA.—Teresita, muy buenas tardes.   Adiós,
Enrique.   15

TERESA.—Muy buenas tardes.

ENRIQUE.—¡Señoras!

ASUNCIÓN.—La Marquesa dormirá la siesta todavía.

TERESA.—No tardará en despertarse.

ESPERANZA.—*Hemos venido tan temprano para ver   20
a tu tía antes de la Junta y dejar arreglados los turnos
de la Mesa de petitorio para la novena de la Buena
Esperanza.   Si lo dejamos para la Junta, todo es disgustos; hay señoras muy impertinentes que todo lo quieren a su comodidad.   25

ASUNCIÓN.—Todas quieren pedir a la hora de la función; sobre todo *donde hay muchachas, para lucirse y
tontear con los novios.

Esperanza.—Y a esa hora conviene que estén en la Mesa señoras de respetabilidad como la Marquesa y como tú, si te dignas acompañar a tu tía.

Teresa.—Con mucho gusto.

Asunción.—Porque lo importante es que suba la cuestación. Y personas como tu tía, respetadas y conocidas de lo más principal, son las que convienen a esa hora, que es cuando asisten más caballeros a la iglesia. Los muchachos mucho monear y sonreír con las muchachas . . . ; pero los pobres chicos, ya se sabe, por puro compromiso dejan sus dos pesetas; y si pueden, de las dos, una falsa.

Esperanza.—El año pasado tuvimos la debilidad de dejar ese turno a *las de don Casimiro, y aparte del escándalo que dieron, presentándose vestidas como para una corrida de toros, nos perjudicaron en más de doscientos reales.

Asunción.—Además de que hubo un disgusto porque el padre Miguel habló en el sermón de las que se pintan y todo el mundo se fijó en ellas, y ellas se enfadaron con el padre y dijeron que era una inconveniencia decir esas cosas desde un púlpito. Ya ves, el pobre padre Miguel, que, según nos confesó luego, no creía que hubiera aquí ninguna señora que se pintase, y por eso habló, para que nadie pudiera darse por molestado. (*Pausa larga.*)

Esperanza.—¿Qué hora será? ¿No llegaremos tarde a la Junta?

Enrique.—¿Quieren ustedes que avise a mamá?

Esperanza.—No, no; que no se moleste, hay tiempo. (*A* Teresa) Y me alegro de encontrarte sola. Tengo que decirte algo y prefiero que no esté delante tu tía.

Teresa.—¿A mí?

Esperanza.—Tú sabes cuánto te quiero; creo que en

,nada de lo que pueda decirte verás nunca más que el mejor deseo hacia ti por mi parte.

TERESA.—Ciertamente. ¿He cometido alguna falta sin advertirlo y sin que mi tía lo advierta? . . . Porque me hubiera llamado la atención, de seguro.

ESPERANZA.—¿Tu tía? Mira, en confianza, tu tía ha sido la que nos ha encargado de advertirte.

TERESA.—Me lastima esa falta de confianza.

ESPERANZA.—¡Por Dios, no vayas a darte por enterada! Tu tía dice que ya te ha hecho bastantes advertencias y teme molestarte, pero lo primero que nos encargó es que no dijéramos *que era cosa suya . . . ; *lo que hay es que yo no sé fingir, creo que se me conoce en la cara.

TERESA.—Pero ¿qué he hecho yo? Díganme ustedes sin rodeos. . . .

ESPERANZA.—Tú eres muy joven, Teresita; estás educada muy a la moderna, y no das importancia a muchas cosas: eso prueba tu buena intención; pero el mundo, hija mía, no puede penetrar en las intenciones; juzga por lo que ve, por lo aparente.

TERESA.—Pero ¿qué he hecho yo?

ASUNCIÓN.—No, no te asustes. Es que se ha comentado mucho que te bañes a las nueve de la mañana; a esa hora no se baña aquí ninguna señora, y parece que es significarse.

TERESA.—Si es que a mí me gusta nadar a mis anchas, playa adentro; el baño es para mí un ejercicio; me acostumbró mi padre; ¡tenía yo un miedo al mar de pequeña!; pero mi padre no podía tolerar que se tuviera miedo a nada.

ESPERANZA.—Tu padre fué siempre muy exótico; las mujeres debemos tener miedo a muchas cosas. . . . Créelo, hija mía, el miedo es la mitad de la virtud.

ENRIQUE.—Ya lo oyes. Desde mañana te bañarás a las once de la mañana, muy cogidita a la maroma, y cada vez que llegue una ola, darás un chillido horrible, es la costumbre. A esa hora la playa *tiene poco que ver,
5 pero tiene mucho que oír.

ASUNCIÓN.—¡Vaya con Enriquito! Parece que vas sacando los pies del plato. ¡Cómo se conoce que no está presente tu mamá!

ESPERANZA.—Nosotras aconsejamos a Teresita por su
10 bien; pero si ella no lo agradece. . . .

TERESA.—Sí, sí; ¡no faltaba más! . . .

ASUNCIÓN.—Lo mismo sucede con el traje de baño.

TERESA.—¿También el traje?

ASUNCIÓN.—Ya sabemos que es lo que se usa en San
15 Sebastián y en esas playas a la moda, pero aquí nadie se atrevería a llevarlo.

TERESA.—Pues ¿qué se lleva aquí?

ESPERANZA.—¿No lo has visto? Un túnico muy cerrado al cuello y que llega hasta los pies.

20 ASUNCIÓN.—Más bien con un poco de cola.

TERESA.—¿Y si se levanta aire?

ESPERANZA.—Hija, por Dios, debajo se llevan pantalones; unos pantalones bombachos que son como una falda. . . .

25 TERESA.—¿Y quién nada con eso?

ESPERANZA.—Es que *eso de nadar tampoco está bien. El baño es el baño, y esos ejercicios no son propios de señoras; ayer nos dijeron que llegaste hasta la barca de salvamento, y que te sentaste allí a descansar, y estuviste
30 hablando con el marinero . . . , un hombre. . . .

TERESA.—Muy viejo por cierto.

ESPERANZA.—¡Pero un hombre!

ASUNCIÓN.—¡Un hombre! ¡Ah!

ESPERANZA.—Y tú en aquel traje . . . , tú crees que nadie se fija; y a la media hora, ya lo sabíamos; te vió don Rosendo, que estaba en su azotea, con el anteojo de larga vista.

ASUNCIÓN.—Y que no se le escapa nada; por él se han sabido más de *cuatro cosas en el pueblo.

ESPERANZA.—Enriquito se acordará de alguna.

ENRIQUE.—¿Yo?

ASUNCIÓN.—Sí; un día que estaba tendiendo ropa una criada en la azotea de esta casa, y tú no andabas muy lejos.

ENRIQUE.—¿Yo? ¿Yo? ¿Y ha dicho don Rosendo. . . ? Díganle ustedes de mi parte que puede mandar a componer el anteojo. . . . ¡Canastos con el anteojo de don Rosendo! . . .

TERESA.—Sí que es gracioso. . . .

ENRIQUE.—Mamá se ha despertado; ya baja al jardín. . . .

ESPERANZA.—¡Por Dios, Teresita, *no nos descubras con tu tía!

TERESA.—Descuiden ustedes; si yo agradezco. . . .

ENRIQUE.—Es de agradecer. . . . (Bajo) En todo han de meterse. . . . Por supuesto, no vayas a creer lo de la azotea. . . .

ESCENA IX

DICHOS, LA MARQUESA y el MARQUÉS, por el segundo término izquierda

MARQUESA.—¿Llevaban ustedes aquí mucho tiempo? ¿Por qué no me han avisado?

ESPERANZA.—¡No faltaba más! Estaba usted descansando. . . . ¡Querido Marqués! ¿Cómo lo pasa usted entre nosotros?

MARQUÉS.—Encantado con mi veraneo. ¡Qué hermosa tranquilidad! Yo no sé cómo no acude aquí gente
5 de todas partes.

MARQUESA.—No, por Dios; perdería todo su encanto; estamos muy bien así; en familia, porque aquí somos todos una familia.

ENRIQUE (*Bajo a* TERESA).—Por eso es tan aburrido.
10 TERESA (*Idem*).—Si te oyesen, si sospechan que dentro de ti hay un revolucionario. . . .

ENRIQUE (*Idem*).—*No lo sabes bien.

MARQUESA (*Bajo a* ESPERANZA *y* ASUNCIÓN).—¿Han dicho ustedes a Teresita? . . .
15 ESPERANZA.—Sí; pero no sé por qué me parece que no le ha caído muy bien; yo sentiría. . . .

MARQUESA.—Es toda a su padre; cada día me convenzo más.

ASUNCIÓN.—Y siento decirle a usted que desde que
20 ella está aquí, Enrique ha cambiado mucho.

MARQUESA.—¿Qué dice usted, mi hijo? . . .

ESPERANZA.—Sí, sí; está más despierto. Demasiado despierto. Obsérvele usted; a una madre no se le escapa nada.

25 MARQUÉS (*A* TERESA).—Aquí tienes una carta de las pequeñas. . . . No, ésta es para mí; ésta es la tuya.

TERESA.—¡A ver, a ver! ¡Qué alegría! Ya decía yo. ¿Lo ves, Enrique?

ENRIQUE.—¿La carta que esperabas?
30 TERESA.—Sí, sí.

ESPERANZA (*A la* MARQUESA).—Hemos venido para fijar los turnos, y que no haya discusiones. Lo que usted disponga lo respetará todo el mundo.

MARQUESA.—Nos sentaremos en el cenador. Enrique, tráenos papel, tintero y pluma.

ENRIQUE.—Voy en seguida. (*Vase por el segundo término izquierda, y a poco sale por el mismo sitio con lo que le ha pedido la* MARQUESA.)

MARQUESA.—Haremos las apuntaciones.

ASUNCIÓN.—Este año no hay más remedio que contar con la del indiano, después del donativo que hizo. . . .

ESPERANZA.—Y la verdad sea dicha, hace mucho tiempo que no ha dado ningún escándalo. Por supuesto, yo nunca he creído la mitad de lo que se ha dicho de ella.

MARQUESA.—Es que la mitad ya era bastante . . . ; pero, en fin, si le ha llegado la hora del arrepentimiento. . . . (*Se va en unión de doña* ESPERANZA *y* ASUNCIÓN, *hablando por el tercer término izquierda, y detrás de ellas* ENRIQUE.)

ESCENA X

TERESA *y el* MARQUÉS

MARQUÉS.—¿Qué te parece la carta? No te quejarás; escriben como deben escribirte: obedientes, respetuosas.

TERESA.—Sí, sí. . . .

MARQUÉS.—Como yo les he dicho que debían escribirte. . . .

TERESA.—¡Ah, tú! ¿Has sido tú quien . . . , tú les has dicho? . . . Entonces, mi carta. . . .

MARQUÉS.—¿Tu carta? Mira, Teresa; cuando me leíste la carta que habías escrito, no quise decirte nada; eres muy nerviosa, muy impresionable, pero desde luego me pareció impropia; era una carta . . . , ¿cómo te diré yo?, sentimental, exagerada; a las niñas les hubiera ex-

trañado; era la carta de otra chiquilla como ellas; en una
palabra, sin decírtelo, me pareció lo más conveniente no
enviarla.   Ahora ya puedes escribir con más calma, con
menos nervios, sentando las relaciones en el pie de cariño
5 y de respeto natural . . . ; pero sin arrebatos. . . . Yo
no pretendo que las quieras como si fueran tus hijas; ya
sé que es imposible; quiero que te respeten, que sepas
hacerte respetar; me pongo en lo justo, en lo razonable;
no pido imposibles. . . .

10 TERESA.—No, no; ya se ve . . . , no pides imposibles. . . . Pero esa carta . . . , esa carta . . . , di lo
que tú quieras, yo la escribí con toda mi alma, yo hubiera
querido que ellas la leyeran. . . . Y tú. . . . No, no has
hecho bien, te lo digo: ni por mí ni por tus hijas; no has
15 hecho bien.

MARQUÉS.—Vaya, vaya; dejemos los nervios.

TERESA.—Los nervios, los nervios; no debo tenerlos.
No me conozco: la vida es más fuerte que nosotros, sabe
cómo domarnos. . . . ¡Ay, mis nervios de niña volun-
20 tariosa, mimada, cuando vivían mis padres, cuando todo
el mundo estaba pendiente de mis caprichos; entonces sí,
entonces eran nervios! . . . Ahora no; ya lo ves; callo
a todo, lo sufro todo. . . .

MARQUÉS.—¿Qué quieres decir?

25 TERESA.—Nada, nada; no digo nada.   Lo sospechaba
antes, hoy he adquirido la certeza.   Hay que ser prudente, callar, fingir. . . . Descuida, no volveré a dejar
hablar a mi corazón. . . . Tú verás cómo calla, ya te
pesará su silencio. . . .

30 MARQUÉS.—Cuando estés más tranquila, hablaremos.
. . . Ahora sí, agradeceré que delante de la tía no hables
de este modo.

TERESA.—Descuida; he dicho que aprenderé a callar.

Marqués.—No es mal principio de aprender a ser prudente.

Teresa.—¡Ah! . . . (*Vase el* Marqués *por el tercer término derecha, y* Teresa *queda sentada llorando.*)

ESCENA XI

Teresa *y* Don Heliodoro, *que sale muy contento por el foro derecha*

Heliod.—Tengo talismán, tengo talismán. . . . ¿Eh?   5
¿Qué sucede? ¿Has llorado? . . .

Teresa.—Nada, nada. Decías que. . . . ¿Un talismán? ¡Ay tío! ¡Qué cara traes . . . , cómo vienes!

Heliod.—No hagas caso. *No era cosa de hablar con Jesús en medio de la calle; entramos a sentarnos en un   10
establecimiento, una pastelería, *no vayas a creer. . . .
¡Pero soy feliz! ¡Ah! De esta vez les doy un disgusto;
ya era hora. . . . ¡Ah, señoras y señores graves, puedo
más que ustedes, tengo talismán!

Teresa.—Pero, tío, ¿qué disparates, qué talismán es ése?   15

Heliod.—Mira. . . . (*Enseñándole la cartera con billetes de banco*) ¡Dinero! ¡Dinero! Y esto no es nada; a Jesús le di otro tanto. . . . Se embarcarán juntos, serán felices, a esas señoras les dará un soponcio, habrá quien reviente del sofocón. . . . *¡Si fuera quien yo dijera! . . .   20

Teresa.—Pero dime, explícame. . . . Tú no estás bueno, tío.

Heliod.—¿Yo? Como nunca. Estoy glorioso. Avisa a Natividad, que venga en seguida. Jesús nos espera, la llevaré yo mismo.   25

Teresa.—Pero, tío, eso no es posible.

Heliod.—¿Que no? Todo está arreglado. Sólo falta convencer a Natividad.

TERESA.—Pues falta todo. Y si lo que has pensado es una fuga novelesca, desde ahora te lo digo, es una atrocidad; ni la muchacha consentirá en ello, y yo sería la primera en impedirlo.

HELIOD.—¿Tú? ¡Ah! Pues si mi sobrino Enrique no fuera tan joven, os *embarcaba también.

TERESA.—¡Tío! ¿Qué dices?

HELIOD.—¿Crees que no he notado el efecto que tu presencia ha causado en Enrique? El de una aparición fantástica.

TERESA.—¡Calla, calla!

HELIOD.—*El amor de Querubín por la Condesa, su madrina. He sorprendido unos versos suyos, muy malos, naturalmente, pero apasionados. ¡Oh!

« Tú que en la noche de mi vida triste
como rayo de sol apareciste . . . »

Luego habla de unas visiones muy desagradables, que deben ser doña Esperanza y doña Asunción y don Francisquito, y luego surges tú, aparición celestial, toda luz, toda fragancia. . . .

TERESA.—Bueno, tío, eso es broma tuya.

HELIOD.—Bromas, sí, bromas. . . . ¿Quieres decirme que tú no te has enterado antes que yo? *¡Buenas sois las mujeres para no enteraros de esas cosas!

TERESA.—Como tú quieras. . . . Pero dime lo que importa. ¿Viste a Jesús? ¿Hablaste con él?

HELIOD.—Procedamos con orden. . . . Al salir de aquí, pasé por el Casino, entré a recoger mi correspondencia, y . . . ¡oh sorpresa!, *encuentro una carta de un amigo antiguo, un perdulario como yo, a quien había yo prestado en una noche de apuro una cantidad . . . , digo prestado por decir algo . . . ; pero lo que yo digo: « Alguna vez se recoge lo que se arrojó al viento. . . .» Hoy me escribe diciéndome: « Sé que estás apurado, me *coge con dinero, y me acuerdo de que siempre fuiste generoso conmigo.» Y me incluye una letra. . . . Figúrate; corro a casa de Zurita, del malo, que, naturalmente, es el que tiene siempre fondos disponibles; me paga la letra, y ya poseedor de mi talismán, busco a Jesús, le encuentro, hablamos, convenimos en nuestro plan. . . . ¡Ah!, también hablé con Martín; el infeliz me confesó que sólo se casa por casarse, por respeto, por gratitud . . . y por conveniencia también. Pero que si ella es la primera en decir que no le quiere, él se conforma. . . . ¡Ya lo creo que se conforma; tiene un miedo a Jesús! . . . Y como ya lo sabes todo, ahora avisa a Natividad. Aunque supongo que ya sabe algo. Jesús quedó en avisarla como pudiera; le dejé escribiendo una carta. ¡Qué carta! Tan mal escrita como los versos de Enrique . . . ; pero con qué fuego! . . . Aquí viene Natividad. ¡No te dije! ¡Ya lo sabe!

ESCENA XII

Dichos y Natividad por el tercer término izquierda

Natividad.—Señorita, protéjame usted, defiéndame usted; usted es muy buena.

Teresa.—No te aflijas, mujer, ¿qué ocurre?

Natividad.—¡No sabe usted! Jesús me ha mandado una carta; dice que si no me voy con él hoy mismo, ahora mismo, será la perdición de su vida . . . , y dice, ya ve usted qué locura, que tiene dinero; ¿de dónde puede haberlo sacado honradamente? . . . Ya ve usted, eso no puede ser. Yo no quiero decir nada a la señora Marquesa, porque le costaría caro; pero eso no puede ser. . . . Protéjame usted, señorita.

TERESA.—No tengas miedo, no llores.

HELIOD.—No pienses nada malo de Jesús. Esa carta te la ha escrito delante de mí, por consejo mío; ese dinero se lo he dado yo; con él podrá trabajar, podréis estable- ceros.

NATIVIDAD.—¡Usted! . . .

HELIOD.—Sí, yo; yo que soy así, algo loco, y quiero que seáis felices con vuestro cariño, porque tú quieres a Jesús, y él te quiere, y es lo justo y la verdad, y es lo que debe ser. . . . Martín, él mismo lo ha confesado, se ca- saba contigo como tú con él; no creas que le costará la vida el desengaño.

NATIVIDAD.—¡Pero don Heliodoro! . . .

HELIOD.—Vamos a ver; háblanos con franqueza lo que tú sientes, lo que tú quieres. . . . Si supieras que por decir: Yo no quiero más que a Jesús, no me casaré más que con él, no *pasaba nada, ni esas señoras se indigna- ban, ni decían que era ingratitud, ni te retiraban su protección, y a Jesús le perdonaban sinceramente, y los dos erais muy felices. . . . ¿Qué dirías?

NATIVIDAD.—De ese modo, sí.

HELIOD.—Porque tú quieres a Jesús, ¿verdad?

NATIVIDAD.—Si no lo quisiera, no me costaría tantas lágrimas.

HELIOD.—¿Y te casarías con él mejor que con el otro?

NATIVIDAD.—Sí, señor, sí; a ustedes se lo digo.

TERESA.—Entonces. . . .

HELIOD.—Entonces, no hay más que hablar.

TERESA.—Pero tú crees que si Natividad dijera. . . .

HELIOD.—No dice nada. . . . Decir sería inútil. . . . Conozco a esta gente: primero se indignarían; después, cuando vieran que la indignación era inútil, simularían calma, calma hipócrita . . . , y con suavidad, con dul-

zura, con todas sus artes capciosas, conseguirían que
Jesús volviera a parecer un malvado, que tú lo creyeras;
aprovecharían cualquier debilidad, cualquier irresolución,
triunfarían al cabo . . . , yo los conozco. . . . Y eso es
lo que yo no quiero. . . . No, no; mar y tierra por medio   5
es lo mejor. . . . Así, ni se les ve ni se les oye en sus
aspavientos y en sus chillidos . . . , y lo que no se ve ni
se oye, como si no existiera. . . . Vamos, Natividad, no
dudes; es el mejor modo, el único . . . ; de otro modo,
no cuentes con mi protección, que, por lo menos, es tan   10
generosa como la de esa gente y mucho más desinteresada.

NATIVIDAD.—Señorita. . . . ¿Oye usted? Yo no puedo
irme así.

HELIOD.—Así, así. . . . En el primer puerto os casáis,
o en el barco; *el mareo es caso de *articulo mortis;* o si   15
os parece mejor no os casáis, y así estáis menos atados si
algún día os pesa.

TERESA.—Tío, no digas atrocidades.

HELIOD.—¡Eh, ya me conoces! . . . Vamos, ¿qué de-
cides, qué dudas?   20

TERESA.—Pero eso no puede ser. . . . Que hable fran-
tamente, que tenga valor.

HELIOD.—Sí, sí, muy bonito; pero ya os dije lo que
sucedería. . . . Escucha, Natividad, y tú también. Yo
no te aconsejo; vas a ser *tú, otra mujer como tú. ¿Tú   25
quieres mucho a la señorita, verdad?

NATIVIDAD.—Sí, señor, sí.

HELIOD.—¿Crees que es muy buena, muy virtuosa,
que no puede aconsejarte nada malo?

NATIVIDAD.—No, señor, no.   30

HELIOD.—Y si ella te dice: Vete con el hombre que
quieres, ¿te irás? Contesta.

NATIVIDAD.—Si la señorita lo dice. . . .

TERESA.—¿Yo? . . .

HELIOD.—Contesta.

NATIVIDAD.—Si la señorita me lo dijera. . . .

HELIOD.—Ahora tú. . . . Ya lo ves. . . . Piénsalo
bien, en conciencia. De ti depende la suerte de esta
criatura. . . . A ti te han casado como quieren casarla a
ella. . . . Su vida será lo que es la tuya . . . , unida a
un hombre para siempre, sin cariño, ni intimidad, ni
confianza, como dos personas que miden y pesan sus
palabras para ocultar más que para descubrir sus sentimientos. Ahora hablo en serio, muy serio, solemne si
quieres. . . . ¿Qué dice tu corazón, qué dice tu conciencia? . . .

TERESA.—Me preguntas en un momento de horrible
tristeza, cuando acabo de percibir muy *claro lo que será
mi vida. . . . Como tú dices, sin cariño, sin intimidad,
sin confianza. . . . Mi corazón no dudaría. . . . Pero
es grave la responsabilidad de disponer así de la vida de
nadie. ¡Si fuera su desgracia! . . . Yo no puedo aconsejarte nada, yo no puedo decirte nada. . . . Que resuelva
tu corazón. . . .

HELIOD.—¿Pero el tuyo qué dice? La verdad, por lo
más sagrado, por la verdad misma, que es lo más sagrado
que existe y el primer deber de nuestra vida, buscar la
verdad en nuestra vida, cueste lo que cueste.

TERESA.—Sí, tienes razón. . . . Acaso es la pobreza,
acaso es la desgracia, pero es un cariño verdadero el que
te llama. . . . Si sólo fueras feliz un día, ya serías más
feliz que los que nunca lo seremos y no podremos decir
siquiera que lo fuimos.

HELIOD.—¿Oyes?

NATIVIDAD.—¡Señorita!

TERESA.—¿Quieres mucho a ese hombre?

NATIVIDAD.—Sí, señorita; le quiero mucho y me da mucha pena, porque siento que sólo conmigo podrá ser bueno, que él solo por el mundo acabaría por ser malo, y siempre tendría yo ese remordimiento.

TERESA.—¿Es verdad?   Pues con él, no dudes más; sed muy dichosos; el mar os trajo juntos, que el mar os lleve.

NATIVIDAD.—Señorita . . . , usted me dice. . . . ¡Ay! Ya me parece que no hago mal y lloro de alegría. . . .

HELIOD.—Vamos, vamos, ven conmigo, recoge lo más preciso; saldremos por el cocherón sin que nadie nos vea.

NATIVIDAD.—Señorita, nadie me habló como usted.

HELIOD.—Pues yo tambien hablé claro, y *si no es por mí. . . .

NATIVIDAD.—Usted también es muy bueno.

HELIOD.—A mi manera, que no sé si será la buena. Yo sé que os queréis; no puedo saber si seréis felices . . . pero es ofender a Dios prevenirlo todo. . . . Vamos, vamos.

NATIVIDAD.—Señorita . . . , dígales usted que no soy ingrata, que no soy mala.

TERESA.—No, pobre niña; dame un abrazo. . . . Algo de mi alma se va contigo.   (DON HELIODORO *se lleva de la mano a* NATIVIDAD *por el foro derecha, y* TERESA *se queda llorando y mirando por donde se van.*)

ESCENA XIII

TERESA, *y a poco* ENRIQUE *por el tercer término izquierda*

ENRIQUE.—Teresa, Teresa, ¿volvió tío Heliodoro?

TERESA.—Sí, calla; estoy inquieta.   ¿Dónde están tu madre y esas señoras?

ENRIQUE.—De gran conferencia; vino *la Repelona*.

TERESA.—¡Ah!, me alegro. . . . Hablará mucho.

ENRIQUE.—Hoy vino de arrepentida. Dice que se separa de su hombre, que no quiere vivir en pecado; pide que la socorran para trabajar en su oficio . . . ; la historia de siempre, pero siempre hace efecto.

5 TERESA.—¡Pobre mujer!

ENRIQUE.—Pero oye, ¿qué cuenta tío Heliodoro? ¿Habló con Jesús?

TERESA.—Sí, sí; ya lo sabrás. . . . No sé lo que me pasa. . . . ¡Siento una angustia! . . . No sé si hice bien,
10 si hice mal! . . .

ENRIQUE.—¿Tú? ¿Por qué?

TERESA (*Llevándole al foro*).—Mira, mira.

ENRIQUE.—Natividad . . . , tío Heliodoro, ¿adónde van?

15 TERESA.—¡Calla! Vienen esas señoras. Disimula. Digo, no sé; si quisiera que aún fuera tiempo. . . . No sé, no sé. . . .

ENRIQUE.—Pero es que al fin. . . .

TERESA.—Sí.

20 ENRIQUE.—¡Cuánto me alegro! ¡Felices ellos!

TERESA.—¿Crees tú que serán felices?

ESCENA XIV

DICHOS, LA MARQUESA, DOÑA ESPERANZA, ASUNCIÓN,
LA REPELONA. *Salen por el tercer término izquierda*

MARQUESA.—Bueno, mujer, bueno; lo que hace falta es que todo eso sea verdad.

REPELONA.—¡Ay, *señora Marquesa de mi alma, doña
25 Esperanza de mi corazón y querida hermana!; si les dicen a ustedes alguna vez que he vuelto con ese hombre y es verdad que he vuelto, digan ustedes que no merezco cosa mejor que vivir con él y verme como me he visto hasta

ahora por ese gandul, sinvergüenza, borracho; que no
quisiera más sino que vieran ustedes mi cuerpo, para que
vieran un puro martirio, que *no me falta más que lo
de santa para estar en el calendario, que por lo de mártir,
otras habrá con menos motivo. ¡Y *quieren ustedes que   5
no esté arrepentida! . . .

ESPERANZA.—Persevera, persevera en los buenos pro-
pósitos.

REPELONA.—Y *tan persevera como me verán ustedes
siempre, señora, que si no fuera por ustedes, no sé adónde   10
iba a volver los ojos.   Estaré tan ricamente en mi oficio
como estaba antes de conocerle, que no sé qué mala hora
sería aquélla, que debió ser una maldición que me cayó
encima.

MARQUESA.—No disparates más.   *En todo has de ser   15
extremosa.   Anda, anda con Dios, y si ese hombre te
persigue y te amenaza, *das parte en seguida, no digas
después que te llevó por miedo.

REPELONA.—¡Ay, no señora! *¡Así me arrastrara y
me hiciera pedazos, ni verle, ni verle! Vaya, señoras,   20
Dios se lo pague, y que vivan ustedes tantos años como
caridades han hecho en este mundo, que yo iré besando
siempre por donde pisen.

ESPERANZA.—Anda, anda, mujer. . . .

REPELONA.—¡Qué buenas son ustedes, qué buenas!   25

ESCENA XV

DICHOS, *menos la* REPELONA; *después* MARTÍN *por el foro
derecha*

MARQUESA.—¿Qué opinan ustedes de esta conversión?

ESPERANZA.—Alguna vez será la verdadera.   ¿No cree
usted, Marquesa . . . ?

MARQUESA.—¿Por qué no? Yo creo que la Junta aprobará este socorro extraordinario, dado lo urgente del caso.

ESPERANZA.—¡No faltaba más! Y cuando usted quie-
5   ra, Marquesa, iremos hacia allí.

MARQUESA.—En seguida. Enrique, di a Natividad que recoja el envoltorio que dejé en el cuarto ropero, y que venga con él en seguida.

ENRIQUE.—Voy, mamá.

10   TERESA (*Bajo*).—No vayas.

ENRIQUE.—¿Eh?

MARQUESA.—Vamos, hijo.

ENRIQUE.—Voy, voy. . . . ¿Y dices . . . ?

TERESA.—Sí, sí ve . . . ; pero tarda todo lo que pue-
15   das. (*Al ver entrar a* MARTÍN *por el foro*) No, ya es lo mismo.

MARTÍN.—Con permiso. . . .

MARQUESA.—Hola, Martín. . . . ¿Qué te trae por aquí a estas horas extraordinarias? ¿Tienes que decir
20   algo a Natividad, o es que te parece poco tiempo el que os permitimos para hablar? En seguida sale y hablaréis, pero sólo un momento.

MARTÍN.—¿Natividad? ¡No vengo a verla, ni la veré más; *y quién la verá!

25   MARQUESA.—¿Qué dices?

MARTÍN.—Nada, señora. . . . Que Natividad y Jesús se han embarcado y se marcha feliz a estas horas.

MARQUESA. ⎧ ¿Eh? ¿Qué dices?
ESPERANZA. ⎪ ¡No es posible! ¡Natividad!
30   ASUNCIÓN. ⎨ ¡Natividad! (*Llamándola las tres por
               ⎩ todas partes.*)

MARQUESA.—¡Natividad! ¡Natividad! (*A* ENRIQUE)

Corre a buscarla. . . . ¡Si no puede ser, si estaba aquí!
. . . (*A* TERESA) ¿No estaba contigo?

TERESA.—Sí, sí; pero salió. . . .

MARQUESA.—¿Que salió? (*A* MARTÍN) ¿Y tú cómo
sabes . . . ?

MARTÍN.—Lo sé, porque lo sé; porque me lo había
dicho Jesús.

ASUNCIÓN.—Yo no puedo creerlo.

MARQUESA.—¡Sería horrible!

ASUNCIÓN.—Pero se la habrán llevado a la fuerza; un
atropello.

MARTÍN.—No, señora, no; por su voluntad y muy contenta.   Ya los dos se querían, y por miedo de que ustedes
no les dejaran casarse, se marchan lejos de aquí.   Después de todo más vale que haya sido antes, que si hubiera sido después. . . .

MARQUESA.—Pero ¿cómo han podido marcharse; con
qué medios?

MARTÍN.—No, no les faltarán.   Pregunte usted a don
Heliodoro.

MARQUESA.—¿Mi hermano?

ESPERANZA.—Es posible, Marquesa; es posible. . . .

ASUNCIÓN.—Su hermano de usted es capaz de todo.

ESCENA ÚLTIMA

DICHOS y DON HELIODORO, *que sale por el foro derecha y oye
el final de la escena*

HELIOD.—Sí, yo . . . ; yo he sido.   Y estoy muy ufano
y no me pesa.

MARQUESA.—¡Puedes estarlo!

ESPERANZA.—No es suya toda la culpa.   ¡Qué ingratitud!   ¡Qué ingratitud!

ASUNCIÓN.—¡Quién lo diría de esa muchacha!

ESPERANZA.—¡Qué valor! ¡Escaparse así!

ASUNCIÓN.—Ya tendrá su castigo, ya lo tendrá! (*Se oyen dentro voces de* CABRERA, *la* REPELONA *y de chicos*
5 **que figura los corren por las calles gritando.*)

MARQUESA.—¿Qué gritos son ésos?

ASUNCIÓN (*Asomándose al foro*).—Esto nos faltaba. . . . No se asome usted, Marquesa; no lo vea usted.

MARTÍN (*Asomándose también al foro*).—Es Cabrera y
10 los chicos detrás de él como siempre.

ESPERANZA (*Asomándose al foro*).—Cabrera borracho como siempre, y del brazo de su mujer. ¡Ése era el arrepentimiento!

MARQUESA.—Calle usted, callen ustedes . . . , no
15 quiero saberlo. . . . No cuenten ustedes conmigo para nada; no quiero más Junta, no quiero entender en nada.

ESPERANZA.—Tiene usted razón; esto es inaudito.

ASUNCIÓN.—Esto es el fin del mundo. (*Cesan las voces y gritos dentro.*)
20 MARQUESA.—De esta gentuza, ¿qué puede esperarse? Pero los otros, otros. . . . Esa muchacha. . . . ¡Qué tristeza tan grande!

ESPERANZA.—Así nos paga todo el bien que se le ha hecho.
25 MARQUESA.—El pan que han comido. . . .

ASUNCIÓN.—La vida, porque nos deben la vida.

MARQUESA (*A don* HELIODORO).—Y tú, tú has tenido la culpa.

ESPERANZA.—Usted, con sus predicaciones y sus ideas.
30 Esto es obra de usted.

MARQUESA (*A* TERESA).—Y tú lo sabías; ha sido una intriga, ¡pero lo sabrá tu marido, lo sabrá!

ENRIQUE.—¡Mamá!

Heliod.—No contestes.

Teresa.—Sí, tienes razón; fué obra nuestra, de los ingratos, de los rebeldes.   ¿No es eso?

Heliod.—Sí, obra nuestra y obra buena. . . . Y no nos pesa; estamos contentos y con la conciencia tranquila. . . . ¿Qué dices?   ¡Que fueron ingratos, que os debían el pan que comieron, que os debían la vida! . . . Nosotros les hemos dado algo que vale más que la vida, les hemos dado amor y libertad.

FIN DE LA COMEDIA

NOTES

PAGE **4**, LINE 12. **todo sea por Dios.** This phrase, like **Cómo ha de ser** in the Marchioness' following speech, is indicative of resignation. It may be rendered 'God's will be done,' or by a mere sigh; the second phrase by ' There's no help for it.'

4, 22. **Vase** = se va.

4, 23. **segunda derecha. Puerta** is to be understood. The same applies to **primera derecha** below. There are other cases later in the play.

4, 24. **la besa la mano.** Although not recommended by grammarians, **la** is widely used as a feminine singular indirect object form. Of course **le** would be equally correct and would have the same meaning.

5, 21. **oí yo a mi prima:** ' I heard my cousin say.' A more usual phrase would be **oí decir a mi prima.**

6, 14. **Moraleda.** This fictitious provincial capital in New Castile (see *Campo de armiño*, II, 8) is mentioned in several of Benavente's plays, and is even the setting of some (*e.g.*, *La Farándula*, *La Gobernadora*, *Pepa Doncel*). His own creation, a *ciudad histórica y monumental*, it is supposed to typify all that is old-fashioned and smug, though none the less politically and socially corrupt.

6, 24. **¡cabeza más destornillada!** The **más** is equivalent to 'very.' As so often occurs in Spanish, the thought is left grammatically incomplete (though of course no lack is felt by speaker or listener). The complete sentence might be **Cabeza más destornillada nunca se ha visto,** or something similar. See the Vocabulary.

7, 15. **Yo, en un sueño toda la noche:** ' I didn't wake up all night long.' The verb **pasé** is understood.

8, 2. **sería:** ' it must have been.' The conditional expresses conjecture in past time.

9, 8. **en eso sí que no transijo:** 'I absolutely won't put up with it.'

9, 15. **que no las pasee.** The antecedent of **las,** that is, the subject of **sean,** exists only in the mind of the Marchioness, and will not be found in the text. The phrase has become fixed in meaning and the original antecedent lost sight of.

83

10, 18.   **No, si ésa . . . morirá:** ' There's no use talking; I told her the last time we quarrelled that she will die. . . . ' **Si** is here an untranslatable expletive.   The nearest English equivalent would be ' why '; **ésa** is the subject of **morirá.**   Its antecedent is **hermana Rosalía.**

11, 3.   **Si:** untranslatable.   See the preceding note.

11, 9.   **no son para andar:** for the translation supply **propios** after **son.**

12, 13.   **cuatro hermanillos chicos con quien reír y jugar.**   **Quienes** would be expected (and equally correct).   **Quienes** is a relatively late formation in the development of the Spanish language, and has not entirely displaced **quien** as a plural form.   Examples of the latter are frequent in Benavente.

12, 27.   **te habrá dicho:** ' has probably told you.'   The future tense expresses probability in present time.

15, 26.   **de no poderme levantar en:** ' so that I have to stay in bed for.'

16, 2.   **ya me perdonaríais:** ' you surely have forgiven me.'   Conditional of probability.

16, 33.   **¡Y luego está el pueblecito de diversiones!** ' And then, too, this is a fine place for amusement! ' (ironical).

17, 4.   **Y que si . . . que si,** *etc.*: ' and one says . . . another says.'

17, 7.   **a perecer los pobres cómicos:** ' the poor actors are relentlessly pursued to destruction.'

19, 10.   **Allons enfants de la patrie.**   Heliodorus ' singing of various lines from the French national anthem gives the keynote of the play.   See Vocabulary.

19, 22.   **los sábados por la noche.**   Witches are supposed to meet on Saturday nights.   See Esperanza's speech following.

20, 2.   **la familia empezamos.**   Grammatically, **familia** is in apposition with **nosotros** understood.   Say ' In the family we are beginning.'

20, 26.   **Ya sabe que la queremos mucho** and **ya sabe usted que se la quiere 21,** 12 are stock expressions of esteem.

20, 29.   **Está a la disposición de ustedes,** *etc.*   In this and his following speech Heliodorus makes fun of the exaggerated courtesies exchanged by the Marchioness and Doña Esperanza.   One of the traditional rules demands that if an object is praised, it must at once be offered to the admirer.   The latter will assure the owner that the article could not be put to a better use than its present one. So Heliodorus pretends that the Marchioness, on hearing Theresa praised, offers her services to Doña Esperanza. The latter, in her turn, insists that the young woman could not be better employed. The idea is repeated in the second speech.

21, 1. **mejor estaría:** ' it would be better (for you to have it).'

21, 29. **tardando en creerlas cunde más el irse enterando:** ' the longer the time taken to believe them, the more general does the information become.'

22, 13. **Zapaquilda . . . doncella.** These words are the first two lines of the fable entitled *La gata (convertida en) mujer* by Samaniego (1774–1806).

22, 20. **que no en la taberna:** ' than in the saloon.' A redundant **no** is common in comparisons of this sort.

22, 23. **a unos con otros:** ' the two groups.'

23, 8. **Don Juan Tenorio:** a more or less legendary figure who stands as the prototype of libertinism. The theme has passed from Spanish to world literature. Witness Shadwell's *Libertine*, Byron's *Don Juan*, and the opera *Don Giovanni*, with Mozart's music. In Spain two of the best known versions of the legend are the plays *El burlador de Sevilla*, by the classical dramatist Tirso de Molina (the pseudonym of Gabriel Téllez, 1583?–1648) and *Don Juan Tenorio*, by the Romantic poet Zorrilla (1817–1893). In *Don Juan, ou le festin de pierre* of the great French dramatist Molière (1622–1673) it is the free-thinking traits of Don Juan, rather than his licentious conduct, that are emphasized.

23, 17. **Será por egoísmo por lo que procuramos:** ' I suppose it's on account of selfishness that we try.' With **ser** used impersonally the preposition introducing a phrase is retained before an equivalent relative clause (the respective order of the two makes no difference). This genuinely Spanish construction is discussed in Bello-Cuervo, *Gramática de la lengua castellana*, §§ 809–813.

23, 27. **La Repelona.** Nicknames are generally preceded by the definite article.

24, 4. **nos:** ' among ourselves.'

27, 2. **Todo lo que Natividad . . . rebelde:** ' Just as Natividad was always diligent and eager to learn, and I don't say it because she is present, just as she always knew how to appreciate the good which she received from the hands of others, the boy was always wayward and rebellious.' **Todo lo que fué de dócil** might be rendered literally ' to the same extent that she was teachable.' With expressions of degree **tener de** (+ adj.) is equivalent to **ser.**

27, 13.   **bueno es el mozo.**   Ironical.

27, 29.   **para que nada le falte:** ' as if his other faults weren't enough.'

27, 32.   **Para casarse con:** ' If she were to marry.'

27, 33.   **le valía = le hubiera valido:** ' it would have been better for her.' The use of the imperfect indicative for the pluperfect subjunctive gives greater vividness.

28, 9.   **tan ricamente:** ' very comfortably.' The origin of this use of **tan** is probably similar to that suggested above for **más.** See note to **6,** 24.

29, 19.   **las personas . . . tenemos.** See note to **20,** 2.

30, 8.   **¡No he de hablar!:** ' How can I help talking? '

33, 10.   **Eso debía estar castigado:** ' That ought to be against the law.'

33, 16.   **el Cabrera.** The article is used with the surname of a man only in a pejorative sense.

33, 29.   **Si Martín lo ve.** The use of the present tense makes the idea more vivid. Grammatically **ve** stands for **hubiera visto.** Translate accordingly.

35, 5.   **he de irlas cogiendo:** ' I'll keep catching them.' The use of **ir** as an auxiliary with the present participle emphasizes the continuity of the action.

35, 7.   **la del:** ' the wife of.'

35, 8.   **salió de nazareno:** ' marched as a penitent.'

35, 9.   **en el paso de los azotes:** ' with the flagellants '; *i.e.*, the group of marchers in the procession representing the flogging of Christ. (What usually occurs is for the flagellants to walk with a lash in hand without flogging any one.) Elaborate processions play an important part in the religious festivities of Holy Week. Those of Seville are the most famous and were until recently witnessed by throngs of tourists every year.

35, 9.   **no la hay más perra:** ' there isn't a meaner woman.'

35, 18.   **la excelentísima señorita.** These words are said with a sweeping bow to Teresa.

35, 23.   **Por muchos años y muy largos:** ' I am pleased to hear it.' This expression of courtesy indicates the wish that Heliodorus may continue to be blessed with such a handsome niece for many long years. **Y muy largos** is Cabrera's own addition to the customary phrase, which is often best rendered ' I congratulate you.'

35, 29. **don Ramón Cabrera.** Don Ramón Cabrera (1810–1877) was one of the most devoted, and one of the most cruel and severe commanders of the Carlist forces. He died in England, after abandoning the cause of Don Carlos.

36, 8. **con:** ' in the eyes of.'

36, 32. **que entre qué gente ando:** ' that I'm in bad company.'

38, 2. **viene . . . pueblo.** This part of the Marchioness' speech is apparently addressed to Esperanza and Asunción.

38, 13. **si no puede ser:** ' it's impossible.' **Si** is here merely an expletive of remonstrance.

38, 15. **ésta es la hora que:** ' to this very day.'

38, 18. **como Dios manda:** ' as people should.'

38, 27. **la de don Gumersindo:** ' Don Gumersindo's wife.'

39, 3. **los que decimos:** ' we who say.' See the note to **20,** 2.

39, 5. **tienen.** Repelona is slightly ungrammatical, **tiene** being expected. The idea uppermost in her mind is ' all such people will perforce hear me,' a plural notion.

39, 6. **a la hija de mi madre.** This circumlocution is merely a way of referring to oneself. Repelona might also have called herself **la sobrina de mi tía.**

39, 7. **el que se la hace se la paga.** This is one form of the proverbial expression indicating that one should pay for his misdeeds. The whole sentence means ' Anybody who does me a bad turn is going to pay for it.'

39, 19. **la Guardia Civil.** The constabulary of this name was established in 1844 to police Spain after the first Carlist War (1833–1839). It supplements the ordinary police in the cities, keeps law and order in the rural districts, and guards means of communication everywhere. It is an efficient and respected organization.

40, 7. **oírnos, han de oírnos:** ' hear us they will.'

41, 3. **Señores:** ' Good afternoon '; here a form of leave taking.

41, 11. **No lo sabe usted bien.** This phrase indicates emphatic assent. Translate ' I should say it does.'

41, 13. **nos apedrea = nos apedreará.** The present for the future gives greater vividness.

43, 2. **quito.** Merely a repetition of the last syllables of the name.

44, 12. **lo.** The pronoun is redundant.

44, 21.   que haya usted gastado. The separation of any form of **haber** from its participle is frowned upon by writers of grammars, but is not uncommon even in good writers.

44, 28.   Es que yo no me gasto . . . orden: ' It's not for the sake of the town that I spend my money; I spend it on myself . . . , and there's nothing provincial about me. I rate myself as a first-class metropolis.' There is a pun on the meaning of **en,** which means ' in ' in the speech of Francisquito, and ' on ' in that of Heliodorus.

44, 30.   Lúculo come en casa de Lúculo. The wealthy Roman general Lucullus was known for the splendor of his banquets. On a certain occasion his major-domo did not serve him a sufficiently sumptuous supper, and defended himself by saying that he supposed there was no need of a banquet, since no one was invited to dine. His master then asked " Did you not know that Lucullus was dining to-night at Lucullus' house? " (The complete anecdote may be read in Plutarch's *Life* of Lucullus.) Heliodorus means that he looks out for his own pleasure first and foremost.

45, 1.   me tiene prohibido. Occasionally **tener** replaces **haber** as auxiliary. In such cases the expression is more forceful: ' has expressly forbidden me.'

45, 7.   Que yo digo que. A verb of saying is understood: ' You mean to say that I tell her that.'

45, 11.   de uno al diez: ' from the first to the tenth.'

45, 22.   que = le digo que.

45, 28.   que jugamos: ' when we play.'

46, 8.   era cuanto te quedaba que ver en este mundo: ' you've reached the depths.'

46, 13.   Vengan: ' Let's have.'

46, 15.   siempre hemos de acabar . . . dinero: ' we inevitably reach the same conclusion—that you owe me money, instead of I you.'

47, 15.   El que no le entienda que le compre. Heliodorus adapts to his own purpose the proverbial saying that runs **Quien no te conozca que te compre,** implying that one sees through the schemes of another. He means ' I know his game.'

47, 18.   si estamos de acuerdo: ' we feel the same way about it.' Expletive use of **si.**

47, 25.   de esos hombres = uno de esos hombres.

48, 1.   vestido y calzado: ' with little effort to myself.'

49, 20.   para mí solo: ' which I keep to myself.'

50, 25. lo tiene preceptuado: 'has decreed.' For the use of **tener** see the note to **45**, 1.

53, 23. no se lo niego: ' I don't say he isn't.'

53, 26. Cada uno servimos: ' Each one of us is good.' See note to **20**, 2.

54, 4. ¡Válgame Dios que son! The expression is ironical. Translate: ' Good Lord, as if they were.'

54, 7. las mujeres caéis: ' you women fit.' In this case the grammatical subject of **caéis** is **vosotras** understood.

54, 13. a cualquier cosa, con la misma canción: ' whenever I did anything they always made the same remark.'

54, 24. bueno está el favor: ' it's a sorry favor.'

55, 26. Eso habrá sido: ' That may have been true once.'

56, 2. Como lo siento: ' That's the way I feel.'

56, 20. a mí los dos . . . mí: ' I'm sorry for both of them, but I won't have any pity for either one if they don't listen to me.'

56, 27. De lo que ando mal es de talismanes: ' What I need is a good supply of talismans.' See note to **23**, 17.

57, 27. lo que acobarda ser pobre: ' what a terrifying thing poverty is.'

60, 23. ¡Ya! This word is often used, singly or repeated, to indicate that what was said is, by reason of its obvious nature or because of constant repetition, distasteful to the listener. Translate ' I know ' or ' I've heard about that.'

61, 20. Hemos venido tan temprano, *etc.* It is customary for the members of the various church societies to take turns presiding over the table or stand (**mesa de petitorio,** l. 22) placed usually near the entrance to the church for the reception of donations in behalf of a religious ceremony, here a novena (though apparently a fictitious one). Doña Esperanza wishes to see the Marchioness in order to arrange the hours at which the members shall serve. The good lady is aware that the most expedient method is to set the hours beforehand, rather than allow the others to choose for themselves. Asunción agrees that all will want to take their turn (**pedir** ' to petition for funds,' l. 26) at the hour of the service, since this would make necessary only one appearance at the church.

61, 27. donde hay: ' in the case of.'

62, 14. las de don Casimiro: ' Don Casimir's wife and daughters.'

63, 12. que era cosa suya: ' that the suggestion came from her.'

63, 12. lo que hay: ' the trouble.'

64, 4.   tiene poco que ver . . . oír: ' is not much to look at, but doesn't lack for noise.'

64, 26.   eso de nadar . . . bien: ' that idea of swimming is also open to criticism.'

65, 6.   cuatro. An indefinite number in Spanish. See the Vocabulary.

65, 19.   no nos descubras con tu tía: ' don't let on to your aunt.'

66, 12.   No lo sabes tú bien. See the note to **41,** 11.

69, 9.   No era cosa de: ' I couldn't.'

69, 11.   no vayas a creer. Heliodorus doesn't want it thought that he entered a wine shop.

69, 20.   Si fuera quien yo te dijera: ' If I could only specify which one.'

70, 6.   embarcaba. Here, as often, the imperfect stands for the conditional. Translate accordingly.

70, 12.   El amor de Querubín por la Condesa. The reference is to the unrequited love of a page Querubín (the French form is Chérubin) for the Countess Almaviva in the play of the French dramatist Beaumarchais (1732–1799), entitled *Le Mariage de Figaro.*

70, 21.   Buenas sois las mujeres para no enteraros de esas cosas: ' As if you women didn't notice those things! '

70, 27.   encuentro, and below, **escribe, incluye, corro, paga, busco, encuentro, hablamos,** and **convenimos** should be translated by the past tense: ' I found,' *etc.* In Spanish the use of the historical present gives greater vividness.

71, 2.   coge. Impersonal; the subject is the circumstances. Say ' I happened to have.'

72, 17.   pasaba, *etc.* See note to **70,** 6.

73, 15.   el mareo es caso de *articulo mortis:* ' seasickness is a good excuse ' (*i.e.,* sufficiently critical to be married without the usual preliminaries).

73, 25.   tú . . . tú. The first **tú** is addressed to Teresa, the second to Natividad.

74, 15.   claro. In Spanish adjectives are frequently used as adverbs.

75, 12.   si no es por mí = si no fuera por mí. The present indicative gives greater vividness.

76, 24.   señora Marquesa de mi alma . . . corazón: ' beloved Marchioness, dear Doña Esperanza.'

77, 3.　**no me falta más que lo de santa para estar en el calendario.** Repelona means that she needs only canonization (**lo de santa**) to have her anniversary day indicated on the calendar, since she has already gone through the martyrdom by which this status was often achieved. By the Roman Catholic, Eastern, and Anglican Churches the days of the year are assigned to the memory of one or more saints, whose names are often shown on calendars and in almanacs.

77, 5.　**quieren ustedes que no esté:** ' you won't believe that I am.'

77, 9.　**tan persevera . . . siempre:** ' indeed I shall.' The Spanish is equivalent to **tanto perseveraré como me verán ustedes siempre perseverar.** See the note to **28,** 9. The word intensified by **tan** in this way is invariable.

77, 15.　**En todo has de ser extremosa:** ' You have to go to extremes in everything.'

77, 17.　**das parte:** ' report him.' The present tense is not infrequently used as an imperative.

77, 19.　**Así me arrastrara y me hiciera pedazos.** See the Vocabulary under **así.** Repelona hopes that Cabrera may drag her and tear her to pieces if she ever goes off with him again, for she never wants even to see him (**ni verle**).

78, 24.　**quién la verá:** ' and who will? ' If a question has exclamatory force the exclamation point is used in Spanish rather than the question mark.

80, 5.　**que figura los corren por las calles:** ' so as to indicate that they are running after them through the streets.'

VOCABULARY

In this Vocabulary the following are omitted: the definite articles; the personal pronouns; superlatives in *ísimo;* adverbs in *-mente* when the corresponding adjective is given. Any of these words, however, may be included if used with an unusual meaning.

These abbreviations are employed:

abbrev. abbreviation
adv. adverb
adj. adjective
conj. conjunction
dim. diminutive
Eng. English
exclam. exclamation
fam. familiar
f. feminine
imperat. imperative

interj. interjection
interrog. interrogative
m. masculine
pl. plural
p.p. past participle
prep. preposition
pr. n. proper noun
pron. pronoun
sing. singular
subst. substantive

A

a to, into, at, for; from; *sign of direct object;* — **la media hora** within half an hour; — **que** I wager that

abajo below, downstairs

abandonar to abandon

abatido -a dejected, downcast

abdicación abdication, surrender

abdicar to abdicate

abejorro drone, bumble-bee

abierto -a (*p. p. of* **abrir**) open

ablandarse to weaken

abrasar to burn, to set on fire, to inspire; **—se** be inspired

abrazado -a clinging

abrazar to embrace, to cling to

abrazo embrace, hug

abstracción abstraction

absoluto -a absolute; **en —** absolutely

abuelo grandfather

aburrido -a boresome, boring, tiresome

aburrir to bore; **—se** to be bored

acabar to finish, to end; **— de +** *infin.* to have just . . . (*the usual meaning in the present and imperfect tenses*); **acabaría por ser** would finally be

acalorarse to lose one's temper, to get excited

acaso perhaps, perchance; **por si —** perhaps, in case anything should happen

acatamiento respect

acechar to lie in concealment, to spy; **¿hay algo que —?** is there anything that calls for spying?

acecho the act of lying in concealment; **en (al) —** on the watch

aceptar to accept

acertar (con) (ie) to hit upon

93

acobardar to terrify, to intimidate

acomodo position, job; chance to get married

acompañar to go with, to accompany

aconsejar to advise

acordar (ue) to agree (on), to decide; —se (de) to remember

acostado -a in bed, flat on one's back

acostarse (ue) to go to bed

acostumbrar to accustom, to get in the habit; to be accustomed, to be in the habit; **mal acostumbrado** spoiled, accustomed to luxury

acto act; **en el —** at once, immediately

actor actor

actriz actress; **primera —** leading lady

actual present

acudir to come, to flock

acuerde *etc. see* **acordar**

acuerdo *etc. see* **acordar**

acuerdo agreement; **con muy buen —** by general accord; **estar de —** to agree

achicharrar to scorch, to burn to a crisp; —se to roast

adelante come in; *see* **sacar**

además besides; **— de** in addition to, beside; **— de que** in addition to the fact that

adiós good-by; how do you do

adonde, adónde where, whither

adondequiera wherever

adorar to adore, to worship

adquirir to acquire

adusto -a stern

adversidad adversity

advertencia suggestion, indication, hint

advertir (ie, i) to notice, to notify, to tell

advierta *see* **advertir**

afear to condemn, to decry; **se lo afeamos** we condemn this conduct

afición fondness

aficionado -a (a) fond (of)

afligirse to be worried, to be tormented

aflijas *see* **afligirse**

africano -a African; savage, pagan

agradecer to give thanks for, to appreciate; **es de —** you certainly ought to (appreciate it)

agrado cordiality

agua water

aguantar to endure, to stand

agüero omen

águila eagle

ah oh, ah

ahí there; **por —** (lying) around; by that, in that way

ahogar to smother, to drown; —se to drown

ahora now; **— mismo** right now

aire air, breeze; **al — libre** out of doors

ajustar to adjust, to settle

ala wing; **dar —s a** to encourage

alabar to praise

alarmar to alarm

alborotar to put in confusion, to stir up

alegoría allegory, metaphor

alegrar to cheer up, to make pleasant; —se (de) to be glad, to rejoice; **lo que nos alegramos de todo** how glad we were

alegre cheerful, gay

alegría joy, happiness, pleasure

alfiler stick-pin

algo something; **por —** with good reason; (*adv.*) somewhat, slightly

alguien somebody

algun(o) -a some, any; someone; **cantidad —a** any sum whatsoever

alimentarse to take nourishment

alma soul, heart; **Teresita de mi —** my dear Theresa

almacén store

almorzar (ue) to take lunch

allá there, away off there; **— voy** I'm on my way

allí there

Allons enfants de la patrie (*French*) *the first words of the* " *Marseillaise* " (*the English version begins* "Ye sons of France . . . ")

alrededor around; **— nuestro** about us

ama mistress; **— de gobierno** housekeeper

amaestrar to train

amagar to threaten

amago threat; **cuando estás con el —** when an attack is coming on

amenaza threat

amiga friend

amigo friend

amonestación ban (*announcement of intention to marry*)

amor love

amparar to protect

anchas: a mis — in my own way, without restraint

andada: volver a las andadas to fall back into one's bad habits

andar to go (about), to be; **bueno andaría todo** everything would be in a fine state

(*ironical*); **de lo que ando mal es de . . .** what I need is a good supply of . . . ; **anda con Dios** run along now

anduvo *see* andar

ángel angel; **— mío** darling; **pobre — mío** poor boy

anguila eel

angustia anguish, distress

anoche last night

anochecido evening

anteojo glass, telescope; **— de larga vista** telescope

antes before, sooner; **— de** before; **— que todo** of first importance

anticipar to receive *or* give in advance; **se nos anticipa** we receive in advance

anticipo advance

antiespasmódico sedative

antiguo -a former, old

anunciar to announce

año year; **recordar los —s que tengo** to remember how old I am; **a los ocho —s** when he was eight

aparecer to appear

aparente apparent; **lo —** outward appearances

aparición apparition

aparte aside

apasionado -a ardent

apedrear to throw stones at, to stone

apenas hardly, scarcely

aplicado -a diligent, industrious

aplicar to apply

apoteosis deification

aprender to learn

aprobar (ue) to approve

aprovechar to take advantage of, to profit by

aproximación contact

aptitud talent

apuntación list

apurado -a in difficulties, out of funds

apurar to drain

apuro strait, difficulty; **en una noche de —** one night when he was ' broke '

aquel, aquella that; **aquellos, aquellas** those; **aquello** that; **aquello les prueba** the life agrees with them

aquí here; **por —** here, hereabouts

arma weapon

arrastrar to drag (down)

arrebato passion, transport

arreglar to arrange; **dejar arreglados** to decide on, arrange; **a ti ya te arreglaremos** we'll settle your case later

arrepentido -a repentant; **de —a** as a penitent

arrepentimiento repentance

arrojar to throw, to cast, to hurl

arruinar to ruin

arte art

articulo mortis (*Latin*) at the point of death (*see the notes to p.* **73,** *l.* 15)

aseado -a neat, clean

asegurar to assure, assert, declare, insure; **que se asegure el tiempo** that we shall have settled weather

así thus, so, in that condition; would that, I wish that; sooner would I have him . . . ; **— como** just like

asignación allowance

asilo asylum

asistir (a) to attend, be present (at), stay for

asociación organization, association

asomarse to look out, to peer out

aspaviento gasp

Asunción *pr. n.* Assumption

asunto matter, affair, business

asustar to frighten; **—se (de)** to be frightened, alarmed, shocked (at)

atar to tie

atención attention; **llamarle a uno la —** to call (it to) one's attention

atender (ie) (a) to attend, to heed, to give attention to; to turn

atenerse: ya sabemos a qué atenernos con we know how much confidence to place in (*ironical*)

atenido -a (a) dependent (upon)

atrás back, behind

atreverse (a) to dare; **todo es atreverse** it's all a matter of taking the first step

atrevimiento boldness, impudence

atrocidad outrage, awful thing, wickedness

atropello outrage

aumento increase; **fué en —** kept increasing

aún, aun still, yet

aunque although

ausente absent

auténtico -a genuine

aventura adventure

aventurarse (a) to venture (into)

avergonzar (üe) to put to shame

avergüence *see* **avergonzar**

averiguar to find out

avisar to send word, to tell

ay oh, alas

aya governess; — **de confianza** trustworthy governess

ayer yesterday

ayudar to help, to aid

azote flogging

azotea (flat) roof

azul blue

B

Babilonia *pr. n.* Babylon (*place of disorder and confusion*)

bailar to dance

¡bah! nonsense!

bajar to come down

bajo -a low; (*adv.*) in a low tone

balcón balcony, window

banco bank

bañar to bathe; —**se** to bathe

baño bath, bathing

barbaridad awful thing

barca boat; — **de salvamento** life-raft

barco ship, boat, vessel; — **de vela** sailing vessel

barrabasada piece of mischief, piece of deviltry

bastante enough, sufficient; (*adv.*) enough, sufficiently; **con que recuerda . . . es —** it is enough if you remember

bastar to suffice, to be enough

beatona bigot, hypocrite

beber to drink

bebida drink

bello -a fair

bendecir to bless

bendición blessing; **las —es** the ceremony

beneficio benefit, favor

bengala colored light

beodo -a drunkard

besar to kiss

beso kiss

bestia beast; — **del Apocalipsis** the Beast of the Apocalypse (*see Revelation XIII*)

biblioteca library

bicho insect; — **raros** oddities, freaks

bien *m.* good

bien well; gladly; **más —** or rather; **no está —** is not right; — **está** very well

bienaventurado -a blessed

bienhechor -ora beneficent

billete note, bill

bizcocho lady-finger, sponge-cake

blanco -a white

blasfemar to blaspheme, to curse

boca mouth

boda marriage, wedding

boina beret, cap

bola ball; *see* **hacer**

bolsillo pocket

bombacho -a baggy

bonanza fair weather

bondad goodness, tender-heartedness

bonito -a nice, pretty

bono voucher; slip; store order

borracho -a drunk; (*m.*) drunkard

borrachón -ona great drunkard

Brasil *pr. n.* Brazil

brazo arm; **del — de** arm in arm with

broma joke; **tiene unas —s** has a peculiar sense of humor; **todo es —** it's all mere talk

bruja witch

buen(o) -a good (*also ironical*), kind; **estar —** to be well, in good health; **ésa es buena** that's a fine question; —, — all right, all right

bufonada tomfoolery
burla jest, jeer
burlarse de to make fun of
buscar to look for, to seek
butaca armchair

C

caballero gentleman
caber to be possible
cabeza head; **— más destorni-llada** what a crackbrain he was; **mala —** foolishness
cabo end; **al —** finally
Cabrera *pr. n. see note to p.* **35**, *l.* **29** *and p.* **33**, *l.* **16**
Cacharrera *pr. n.* Potter
cada each
caer(se) to fall (down); to fit; **no le ha caído bien** she didn't like it very well; **me cayó encima** fell upon me
café café
calculador -ora calculating; **por —es** because they were so calculating
calcular to calculate, imagine
calendario calendar
cáliz cup
calma calm, self-possession; **— chicha** dead calm
calor heat, enthusiasm
calumnia slander
calumniar to slander
Calvino *pr. n. John Calvin (1509–1564), a leader of the Reformation*
calzado -a with one's shoes on
callandito soft; **pasos muy —** stealthy footsteps
callar(se) to be silent, to hush; **me las callo** I keep them to myself
calle street; **por esas —s** about the streets, in public

cama bed
cambiar (de) to change
cambio change; **a — de** in exchange for; **en —** on the other hand
camino road
camposanto cemetery
canastos *interj.* the deuce
canción song
cansadillo -a just a bit tired
cansar to tire
cantar to sing; **— al coro** play children's singing games
cantidad sum, amount
capaz capable
capcioso -a captious, insidious, cunning
capital capital (city)
capricho whim, caprice
cara face; **tiene muy buena —** he is looking very well; **¡qué — traes!** what a look on your face!
carabinero carabineer, internal revenue guard
carácter nature, temperament, disposition
cárcel jail
carecer de to lack
cargo *see* **hacer**
caridad charity; **de —** living on charity; **— de toma y daca** charity of the kind that gives with one hand and takes back with the other; **—es** acts of charity; **así hacen ustedes las —es** that's the way you give your charity
cariño affection; **me ha tomado tanto —** she is so fond of me
cariñoso affectionate, kind
carne flesh
caro -a dear
carpintero carpenter

carta letter

cartera wallet

casa house, home, family; a — home; en — at home, in the house

casado -a married; (subst.) married person

casamiento marriage

Casa Molina pr. n.

casar to marry (off); —se (con) to marry

casino club, clubhouse

caso case; me veré en el — de I shall be obliged to; see hacer

casta caste, race, line

castigar to punish

castigo punishment

catástrofe disaster, calamity

causar to cause, to produce

celebrar to applaud

celestial heavenly

cenador summer-house

censurar to criticize

centro center

ceño frown

cerca near, nearby; — de near

cerco circle, scale

cerebro brain

certeza certainty

cerrado -a tightly buttoned

cerrar (ie) to close

cesar to cease, to stop

ciclón cyclone

cielo sky, heaven

cierra, etc. see cerrar

cierto -a certain, sure, true; (adv.) certainly, to be sure; por — (que) certainly, and indeed

cincuenta fifty

círculo circle, club

claro -a clear; (adv.) clearly, naturally; — que of course

clase class, kind, sort

clavar to fix

club (Eng.) club

cobarde coward

cocina kitchen

coche coach, carriage

cocherón carriage-house

coger to catch, to get, to pick up; — en lo suyo to catch in the act; me coge con dinero I happen to have money

cogidito -a clinging firmly

coja, etc. see coger

cojo see coger

cola train

colegio school

cólera wrath

color color, complexion; me pareció de peor — he didn't look so well

comba see saltar

combatir to combat, to resist

combinación combination

comedia comedy; play; — de magia comedy of witchcraft (a popular type of play in which the motivation is supernatural)

comentar to comment (on); se ha comentado mucho it has caused a lot of talk

comer to eat, to dine

comestibles groceries, provisions

cometer to commit, to be guilty of

cómico comedian, actor; see compañía

como like, as, if, provided that; — que since, inasmuch as; see hacer

cómo interrogative or exclamatory how; ¿—? what's that? ¡— ha de ser! there's no help for it

comodidad convenience, comfort

cómodo -a comfortable, easy

compadecer to pity, to commiserate

compadezco *see* **compadecer**

compañía company; **— de cómicos** traveling stock company

comparar to compare

compasivo -a condescending

completo -a complete; **por —** completely

componer to compose, to mend, to repair; **mandar a —** send away for repairs

comprar to buy

comprender to understand

comprobar (ue) to check, to check up

comprometer to compromise, to jeopardize; **—se a + *infin.*** to take it upon oneself to

compromiso obligation, necessity, embarrassment

compungido -a contrite

compusiste *see* **componer**

comunicar to communicate

con with, by; to

conceder to concede; **algo hay que —** we have to make some concessions

conciencia conscience; **en —** conscientiously

conciliábulo solemn council, conflab

concluir (de) to finish

concluye *see* **concluir**

condenada wretch

condesa countess

condición condition; (*pl.*) terms; **en excelentes —es** nicely

conducirse to behave (oneself)

conducta conduct, behavior

conferencia conference; **de gran —** having a great conference

confesar (ie) to confess

confianza confidence, intimacy; **no tener — con** not to be intimate with

confiar en to trust; **— en que** to believe

confiesa *see* **confesar**

confirmar to confirm

conformarse to agree, to yield, to be willing

conforme (a) in agreement (with), resigned

conmigo with me, to me, with myself

conmover (ue) to move, to stir

conocer to know, to recognize, to be acquainted with; **ya (cómo) se conoce** you can tell; **se me conoce en la cara** you can tell it by my face; **le conocemos de toda la vida** we have known him always; **para que le conozcan a usted cuando tiene** for them to know that you have

conque (and) so

conseguir (i) to succeed (in), to cause; **consiguió que no nos arrastraran** he prevented their dragging us down; **lo único que hemos conseguido es que no las pasee** all we can do is to keep him from making an exhibition of himself

consejo advice

consentir (ie, i) (en) to consent (to), to permit, to put up with

considerar to consider, to bear in mind

consiento, *etc. see* **consentir**

consigo with *or* to oneself

consigue *see* **conseguir**

consiguió *see* conseguir

consintiera *see* consentir

contar (ue) to tell, to relate; — con to count on; cuenten ustedes tell me

contentar to content

contento -a contented, happy

contestar to answer

contigo with you

continuar to continue

continuo -a continuous, continual, constant; de — continuously, constantly

contra against

contrabando smuggling; andar al — to engage in smuggling

contrariar to irritate, to vex

contrariedad vexation

contrario -a contrary; al — on the contrary

contre nous de la tyrannie (*French*) " what myriads bid you rise "

convencer to convince; —se to be convinced

convengo *see* convenir

conveniencia convenience, expediency, interest

conveniente convenient, expedient, best; lo más — best

convenir to be best, be suitable; — en to agree to (upon); las que convienen the ones we need

convenzo *see* convencer

conversión conversion, repentance

convicción conviction

convidar to invite, to stand, to treat

conviene, *etc. see* convenir

corazón heart; *see* dar

coro chorus; *see* cantar

correo mail

correr to run, to run after; — tierras to travel

correspondencia mail

corresponder to reciprocate

corrida: — de toros bull-fight

corriente (*adv.*) well and good

corro *see* cantar

corto -a short

cosa thing, affair, subject, matter; ser otra — to be different; —s de París that's what you expect of Paris, Paris is like that; —s de chicos children's whims; —s de los mayores whims created by the adults

cosecha crop, harvest

costa cost

costar (ue) to cost; me cuesta decirlo I hate to say it; cueste lo que cueste no matter what it costs

costumbre custom, habit; (*pl.*) morals; de — usual; sin tenerlo por — without being in the habit, although I wasn't in the habit

cotorra magpie

crecer to grow

crédito credit

creencia belief

creer to think, to believe; ya lo creo I should say so, certainly, yes indeed, ' you bet '

criada maid

criado manservant; —s servants

crianza bringing up, breeding

criatura baby; —s children

crímen crime

cristiano -a Christian

Cristóbal Colón *pr. n.* Christopher Columbus

crítica criticism, censure

cruel cruel

cruz cross
cruzada crusade
cualquier(a) any
cualquiera anybody, anyone
cuando when; de — en — from
time to time
cuanto -a all that which; (pl.)
all those which (who), as many
as
cuánto -a how much; (pl.) how
many
cuanto respecting, whilst; en —
as soon as; en — a with regard to, as for
cuarenta forty
cuarto room; — bajo basement
room; — ropero clothes closet
cuatro four; some, a few
cuco slyboots, ' slick ' fellow
cuello collar, neck
cuenta account, bill
cuenta, etc. see contar
cuente, etc. see contar
cuerpo body
cuesta, etc. see costar
cuestación solicitation
cuidado care, worry; tener —
to be careful; ser de — to
bear watching; mucho — con
lo que dices be very careful
what you say
cuidar(se) to take an interest in,
to take care of
culpa blame; tener(se) la — to
be to blame
cultivar to cultivate
cundir to spread
cuñado brother-in-law
cura m. parish priest
curiosidad curiosity

CH

chico small; (subst.) boy; de —
as a boy; —s boys, children

chillído shriek, scream
chiquilla child (girl)
chiquillo child (boy)
chist hush
chocar to surprise
chocolate chocolate

D

daca see caridad
dama lady; — joven actress
who plays the rôle of a young
woman
dar to give, to cause, to strike;
— con to find; — en to per-
sist in; —se to be (found);
—se por to consider oneself
as; le va a — algo she's going
to faint; me da el corazón I
have a premonition; dado
considering
de of, from; in, on; by; with; as;
for
debajo underneath
deber to owe; ought, should; to
be obliged
deber duty
débil weak
debilidad weakness
decencia decency; con — re-
spectably
decente respectable
decidir to decide
decir to say, to tell; to call; es —
that is to say; — que to ask;
mejor dicho or rather; digo I
mean, that is to say; querer —
to mean
decisión decision
declarado -a acknowledged, out-
right
decoroso -a proper, suitable
decretar to decree
defender (ie) to defend, to
shield

VOCABULARY 103

defensa defense

defienda, *etc.* *see* defender

dejar to leave, to let, to give; — de + *infin.* to fail to, to cease to, to omit; —se de to forget about, to have done with; —se ver to appear, to come out of retirement, to become sociable; que no le deja from which he can't escape; dejemos de nervios let's not have nerves

delante before, in front, present; — de before, in front of

delgaducho -a slender, thin

delicado -a delicate; con lo — que naciste considering what a delicate child you were

delicioso -a delightful

demás other; los (las) — the other(s), the rest; others

demasiado too, too much (so)

demonio devil; deuce; ¡qué —! confound it!

demonstrar (ue) to show, to prove

dentro inside, within, off stage; — de in, within; por — inside; aquí — in here

deparar to bestow upon

depender to depend upon; al — de mí since it is up to me

derecho -a right; la (mano) —a right hand; (*subst.*) right

desagradable disagreeable, unpleasant

desagradecido -a ungrateful

desastre disaster

desatinado -a out of one's head

desatinar to talk nonsense

desatino nonsense

desayuno breakfast

desbaratar to spoil, to ruin

descansar to rest

descanso rest, recreation

desconcertar (ie) to upset

desconcierto, *etc.* *see* desconcertar

desconfianza distrust

desconocido -a unknown

descontar (ue) to discount, to credit

descrédito disapproval

descreidote given to scoffing; tan — such a scoffer

descubrir to discover, to expose, to reveal

descuidar not to worry, to neglect; descuide la señora Marquesa do not worry

desde from, all the way from, after; — que since

desear to desire, to wish

desengaño disillusionment

deseo wish

deseoso -a desirous

desesperado -a in despair

desfallecer to weaken; estoy desfallecido I feel faint

desgracia misfortune; una — something terrible; por — unfortunately

deshabillé (*French*) dressinggown

deshecho *see* tempestad

desilusionar to disillusion

desinteresado -a disinterested, unselfish

desistir to desist; — de to stop

desmandarse to go too far, to overstep oneself

desmoralizar to demoralize, to corrupt

desnudo nude

desocupado -a idle

despacho office

despedir (i) to take leave of; —se to say good-by, part

despertar(se) (ie) to wake up, to awaken

despierto -a awake, alert

después afterwards; — **de** after

desquitarse to get even, to come out even

Destino Fate

destornillada *see* **cabeza**

destruir to destroy

destruye *see* **destruir**

desvergonzado -a shameless, disreputable; (*subst.*) shameless fellow

desvergüenza shamelessness, insolence

detenerse to stop

detrás behind, after; — **de** behind, after

deuda debt; —**s de juego** gambling debts

devolver (ue) to return

devuelto *p. p. of* **devolver**

di *fam. imperat. sing. of* **decir**

día day; **buenos** —**s** good morning; **quince** —**s** fortnight, two weeks; **de** — daytime

diablura: qué — some of your nonsense

dice, *etc. see* **decir**

diciembre December

dicho *p. p. of* **decir; mejor** — or rather

dicho -a aforesaid, previously mentioned

dichoso -a happy

diecinueve nineteen

dieron *see* **dar**

diez ten

diferencia difference

diferenciar to distinguish

difícil difficult

diga, *etc. see* **decir**

dignarse to deign

digno -a worthy

digo, *etc. see* **decir**

dije, *etc. see* **decir**

dijera, *etc. see* **decir**

dinastía dynasty, line

dinero money

dió *see* **dar**

Dios God; **por** — for Heaven's sake; ¡— **mío!** Good Lord!

diré, *etc. see* **decir**

dirigir to direct; —**se** to make one's way

díscolo -a wayward

discusión argument

discutir to argue, to discuss

disfrutar to enjoy, to derive pleasure; ¿**qué vas a** —? what pleasure can you have?

disgustadillo -a a bit displeased

disgusto displeasure, trouble, annoyance

disimular to pretend not to know; **disimula** don't let on

dislocado -a out of joint, dislocated

dislocar to dislocate, to do violence to

disolvente revolutionary, subversive

disparatar to talk nonsense

disparate nonsense

dispersión scattering

disponer to dispose, to decide, to decree; — **de** to try to control; decide

disponible available

disposición service, orders

dispuesto -a (*p. p. of* **disponer**) willing, inclined, disposed

disputar to wrangle

distinto -a distinct, different

distraer to distract, to amuse; —**se** to dally, to become sidetracked

distraiga *see* distraer
diversión amusement
divertido -a amusing, entertain-
ing
divertir (ie, i) to amuse
dividir to divide; —se to
divide, to share
doce twelve
dócil docile, submissive
documento document
dolor pain; — de cabeza headache
domar to tame, to master, to
control
domingo Sunday
don *title used with a man's given
name*
donativo contribution, gift
doncella maiden
donde, dónde where
dormido -a asleep, sleeping
dormir (ue, u) to sleep; —se to
go to sleep, to fall asleep —
(la) siesta to take a nap; ¿se
dormía la siesta? were you
having your nap?
dos two; los — both
doscientos two hundred
duda doubt
dudar to hesitate (about)
dueño possessor
duermo, *etc. see* dormir
dulzón soft-footed, wishy-washy
dulzura sweetness, gentleness,
kindness
durar to last
durmiendo *see* dormir
duro -a hard; (*subst.*) dollar
(*five peseta piece*)

E

e and (*used instead of* y *before
words beginning with* i *or* hi)
echar to throw (out); to put; to

pour; to utter; — a correr to
begin to run; — a broma to
make a joke of
edad age
edificante edifying; lo más —
the most edifying thing
educación education, training,
rearing
educar to bring up, to educate;
mal educada spoiled
efecto effect
egoísmo selfishness
egoísta selfish
¡eh! what's that!; ¿eh? eh?
ejemplo example
ejercicio exercise
ejército army
el the; — de Zurita Zurita's;
— que he who, the one who;
de los que of the sort that
elemento element
elevado -a high
ello it
embarcar to ship; —se to sail,
to embark
embobar to fool
emborracharse to get drunk
embustera liar
eminente distinguished
empellón: a —es by force
empeño insistence
empezar (ie) to begin
empiezo, *etc. see* empezar
emplear to employ
en in, into, on; to; to the extent of
enamorar to make love to;
estar enamorado (-a) de to be
in love with
encantador -ora charming, delightful
encantar to charm, to delight
encanto charm
encargado -a (de) entrusted
(with), in charge (of)

encargar to commission, to charge

encender (ie) to inflame, to excite, to cause to boil (*of the blood*)

encerrar (ie) to shut up

encienden, *etc. see* **encender**

encima (de) on top (of), upon

encontrar (ue) to find, to meet

encuentro, *etc. see* **encontrar**

enfadarse con to get angry at

engañar to deceive

engaño state of deception

Enrique *pr. n.* Henry

Enriquito *dim. of* Enrique

ensayar to rehearse, to practice

enseñar to show

entender (ie) to understand; — **en** to take part in

enterado -a informed; **no vayas a darte por —a** don't let on, don't let her know

enterarse (de) to understand, to find out; **el irse enterando** the process of finding out

entiendo, *etc. see* **entender**

entonces then, at that time

entrar to enter, to go in; —**se** to slip in; — **por** intervene in

entre between, among

entrega delivery

entregar to deliver, to hand over; **están entregadas a . . .** they are being led around by the nose by . . .

entretanto meanwhile

entretenido -a absorbed

envalentonarse to swagger about; to become bold

enviar to send

enviudar to become a widower

envoltorio bundle

envolver (ue) to envelop

envuelto -a *p. p. of* **envolver**

época time, period

equilibrado -a well-balanced

equilibrio balance (*of power*)

era, *etc. see* ser

eres *see* ser

erizo porcupine

es *see* ser

escala scale, ruler

escándalo scandal

escaparse to escape, to run away

escatimar to stint, to dole out stingily

escena scene

esclavitud slavery

esclavizar to make a slave of

esconder to hide

escondite hiding-place

escotado -a low-cut

escotarse to wear a low-cut dress

escribir to write

escrúpulo scruple

escuchar to listen to

escurrirse to slip away from

ese, esa that; **ése, ésa** that, that one; **eso** that; **eso de** this idea of; **eso, eso** yes, yes; **y eso que** in spite of the fact that; **por eso** for that reason; **eso sí** yes indeed, certainly, to be sure; **¿no es eso?** isn't that right?

esfera sphere, circle

español -ola Spanish; (*subst.*) Spaniard

espantar to frighten

espantoso -a frightful

especial special, particular

especie species, kind

esperanza hope

Esperanza *pr. n.*

esperar to hope, to expect, to wait, to be in store for

espíritu spirit

espiritualmente spiritually, in spirit

esposo husband

esquina corner

establecer to establish

establecimiento store, shop

estado condition; (married) state

estallido explosion, accident, misfortune

estar to be, to stay; —se to stay; estuve I was there

estampa picture

estampita *dim. of* estampa

este, esta this; éste, ésta this one; esto this, this place; esto es muy triste this is a gloomy place to live

estimar to esteem

estorbo obstacle, nuisance

estrechamente narrowly, strictly

estrella star

estrenar to perform for the first time

estudiar to study

estuve, *etc. see* estar

estuviera, *etc. see* estar

eterno -a eternal, everlasting

europeo -a European

evitar to avoid

exagerar to exaggerate

exaltación exaltation; ¡qué —! how wrought up you are!

excelente excellent

excomunión excommunication

exigir to demand, to require

existir to exist

exótico -a odd

experiencia experience

explicar to explain

exponer to expose

expuesto -a *p. p. of* exponer

extraordinario -a special, unusual

extrañar to surprise, to puzzle; ¿no habéis extrañado la cama? didn't the bed seem strange to you?

extraño -a strange; (*subst.*) stranger

extremoso -a exaggerated

F

falda skirt

falso -a false, counterfeit

falta lack, shortcoming, fault; hacer — to be lacking, to be needed

faltar to be lacking, to be needed; — a to be disrespectful to; no faltaba más of course I do; it's quite all right; puedes —le you may leave him

fama reputation

familia family; en — just like a family

famoso-a queer

fanático -a fanatic

fantástico -a fanciful, unreal

fatigar to fatigue, to tire

favor favor

fe faith

felices *pl. of* feliz

feliz happy

felicidad happiness

femenil feminine

feo -a ugly, homely

ferido de mal de amores lovesick

fiar(se) de *or* en to trust; de eso se fían ustedes that's what you think

fibra fiber

figurar to represent; to pretend; —se to imagine, to think

fijar to fix, to assign; —se (en) to look at, to notice, to observe

fijo: de — surely

fin end, purpose; **por —** at last, **en —** in short, in a word; **al —** after all; **¿con qué —?** why?

final end, ending

finca estate, property; **— de recreo** summer home

fingir to pretend

firma signature

firmar to sign

firmitas: echar algunas —s to sign his name a few times

flor flower

florecer to bloom

folletín serial (story), cheap fiction

fomentar to encourage, to foster, to develop

fondo bottom; **—s** funds

forastero -a outsider

formal serious, earnest; well-behaved

formalidad seriousness

fórmula formula

foro background

fortalecer to strengthen

fortuna fortune; **por —** fortunately

fragancia fragrance

Francisco *pr. n.* Francis; *St. Francis of Assisi (1182–1226) was a celebrated Italian mendicant preacher and the founder of the Franciscan Order*

Francisquito *dim. of* **Francisco**

franco -a frank

franqueza frankness

frase phrase; **— inapelable** words which admit of no appeal

freno restraint

frente a opposite

friolera: ¡una —! oh, nothing

fructificar to bear fruit

fué *see* ser *or* ir

fuego fire, ardor

fuera, *etc. see* ser

fuera (de) out; **de —** from outside

fuerte strong, hard, severe; **de las —s** one of the severe ones

fuerza force, strength; **a —s de —s** by sheer effort; **a la —** by force

fuga flight

fuí *see* ser *or* ir

función ceremony

fundar to found

G

galleta cookie, cracker

gandul scamp, rascal

gastar(se) to spend, to squander

gata cat

gato cat; *see* **hacer**

géneros *pl.* goods

generosamente magnanimously

genio disposition, temper; genius; divinity

gente people

gentuza worthless people, 'trash'

gloria glory, heaven; **en la —** very happy; **en mis —s** in my element

glorieta bandstand

glorioso -a glorious, perfectly happy

gobernar (ie) to govern, to control, to manage

gobierna *see* **gobernar**

golfería ragamuffins

golosina tid-bit, dainty

golpe blow

gracia *see* **hacer**

Gracián *pr. n. Baltasar Gracián (1601–1658), a Spanish Jesuit writer known for his subtlety*

gracias thanks; **a Dios —** thank Heaven; **— si** it was fortunate that; **— a que** it's a lucky thing that; *see* **hacer**

gracioso -a funny

graduar to measure

gran (de) great, large; (*subst.*) adult, grown up

gratitud gratitude

grave heavy, circumspect

gritar to shout, to yell

grito shout

guante glove

guapo -a good-looking, pretty

guardar(se) to keep

guardia guard; **— Civil** rural police

guerra war; trouble

gustar to please; **me gusta** I like (it), I like (to); **le gustaba París** he liked Paris

gusto pleasure, taste, inclination, bent

H

ha, has, *etc. see* **haber**

haber to have; to be (*when used impersonally*); **hay** there is, there are; **había** there was, there were; **¿qué hay?** what's the matter? what is it?; **hay (había) que** it is (was) necessary; **habría que oír** it would be a treat to hear; **— de** to be to, shall, have to

habilidad skill, special ability

habitación room

hablar to speak; **no hay más que —** there is nothing more to be said

habré, *etc. see* **haber**

hacer to do, to make, to accomplish, to practice; **— gracia a** to amuse; **— caso** (a *or* de) to pay attention (to), to be aware of; **—se cargo** to realize, to understand, to know; **— la bola como erizos** to 'freeze up'; **— el gato** to mew like a cat, to caterwaul; **hace mucho tiempo que** it is a long time since, for a long time; **hace años** years ago; **haga usted por que se vayan** try to make them go away, have them go away; **lo que hace al caso** what's what; **hace un calor** it's hot (*emphatic*); **— como que** to pretend, to act like; **¿qué se hace?** what is he doing with himself?

hacia toward(s)

hacienda property

hada fairy, spirit

hago *see* **hacer**

hallar to find

haré, *etc. see* **hacer**

hasta even, until, up to, as far as; **— que** until

hay *see* **haber**

haya *see* **haber**

he *see* **haber**

hecho *p. p. of* **hacer; muy bien —** that's very wise

Heliodoro *pr. n.* Heliodorus

hemos *see* **haber**

hereje heretic

herejía heresy; **(verdaderas) —s** outrageous things

hermana sister

hermanillo *dim. of* **hermano**

hermano brother; **—s** brothers, brother and sister

hermosura beauty

hervir (ie, i) to boil, to stir, to race through the veins (*of blood*)

hice *see* **hacer**

hiciera, *etc.* *see* **hacer**

hierve *see* **hervir**

hija daughter; — (**mía**) my dear

hijita *dim. of* **hija**

hijo son; —s children; — **mío** my dear boy

hipocresía hypocrisy

hipócrita hypocritical; (*subst.*) hypocrite

historia history, story; (*pl.*) gossip

hizo *see* **hacer**

hola hello

hombre man; **había — para muchos años** he should have lived a lot longer

hondo -a deep; **de muy —** from the bottom of one's heart

honrado -a honorable, honest, respectable

hora hour, time; **a buena —** he's a bit late; **ya era —** it's high time

horrible awful, terrible

horror horror; ¡**qué —**! my goodness!

hotel hotel

hoy to-day; — **mismo** this very day

hube *see* **haber**

hubiera, *etc.* *see* **haber**

huelga strike

huérfano orphan

huerto orchard garden

hueso bone

humilde humble

humillar to humiliate, to humble

I

idea idea

ideal ideal

ídem (*Latin*) the same, likewise

iglesia church

igual equal, alike, even; **cosa —** the like

iluminar to light (up)

ilusión illusion; hope

imitar to imitate

impedir (i) to prevent

imperio empire, dominion

impertinente cheeky, impertinent

imponer to impose, to take (upon)

impongo *see* **imponer**

importar to be important, to concern

imposible impossible; (*subst.*) impossible thing

impresionable excitable

impresionar to impress, to affect

impropio -a unsuitable, improper

improvisación improvisation

impuesto -a *p. p. of* **imponer**

inaceptable unacceptable

inapelable without appeal, final

inaudito -a unheard of

incapacitar to incapacitate

incapaz incapable

incluir enclose

incluye, *etc.* *see* **incluir**

inconveniencia inconvenience; **ser una —** to be injudicious

indefenso -a defenseless

independencia independence

indiano nabob (*one who returns to Spain after gaining a fortune in Spanish America*); **la del —** the nabob's wife

indicar to suggest
indiferencia indifference
indignación indignation
indignar to make indignant;
—se to become indignant
infeliz unfortunate, unhappy;
(*subst.*) wretched creature,
poor devil
infernar (ie) to drive to perdition
infierno hell, perdition
ingrato -a ungrateful
inquieto -a worried, disturbed
insistir to insist
insolencia insolence
insoportable unbearable
inspeccionar to inspect
inspirar to inspire
insultar to insult
intentar to attempt
interés interest, financial interest; (*pl.*) financial affairs,
income
interesante interesting
interesar to interest, to concern
interpretar to interpret
interrumpir to interrupt
intervenir to take part (in);
han intervenido en todo have
assumed the responsibility
intimidad intimacy
intriga plot
inútil useless, vain
invasor invader
inventar to invent
invocar to invoke
ir to go; —se to go, to go away,
to go off; que va para diez años
que me dejó who left me almost ten years ago; vamos
come; vaya ah, well now,
come now; allá voy I'm get-
ting there; vaya con Enriquito
listen to Henry

irresolución hesitancy
izquierdo -a left; la (mano)
izquierda the left (hand)

J

¡ja, ja! ha, ha!
jaqueca headache
jardín garden
jefe chief
Jesús *pr. n.* Jesus (*commonly
used as a man's name*); ¡—!
for Heaven's sake!
joven young; (*subst.*) young
man, young woman
Juan *pr. n.* John
Juanito *dim. of* Juan
judío Jew
juego game, gambling
juez judge
Jueza *pr. n.* judge's wife
jugar (ue) to play, to ' cut up '
juicio judgment, sense
junta committee; board meeting, committee meeting
juntar to join; —se con to join,
go out with
junto -a together, close (together)
justicia justice
justo -a right, fair, just
juzgar to judge, to consider

L

lado side
ladrón robber
lagarta sly woman, sly creature
lágrima tear
lámina plate, engraving, illus-
tration
largo -a long
lástima pity; me da mucha —
I'm very sorry; ella me da
más — I'm more sorry for her
lastimar to hurt

látigo whip, lash

le jour de gloire est arrivé (*French*) " awake to glory "

lección lesson

leche milk

leer to read

legua league (*approximately three miles*)

lejos far, far away

letra draft

levantarse to rise, to get up, to spring up, to blow (*of breeze*)

leyendo *see* leer

leyera *see* leer

libertad liberty

Liberté, liberté chérie (*French*) " cherished liberty "

librar to free; —se por el número de ir al servicio not to be taken in the draft

libre free

libro book

ligereza indiscretion

ligero -a light, frivolous

limitar to limit

límite limit

limosna alms; de — on charity, as charity

lindo -a pretty, attractive

línea line

listo -a ready, prepared

lo: — del mes pasado what happened last month; de — que than; — de la pobre María de la O what they say about poor María de la O; — de siempre the same old thing; — que what, how, how much

loco -a crazy, foolish

locura madness, folly

lograr to attain to, to obtain, to succeed (in)

lucido -a brilliant

lucirse to show off

lucrarse to profit

Lúculo *pr. n.* Lucius Licinius Lucullus; *see note to p.* 44, *l.* 30

lucha struggle

luchar to struggle

luego then, later, afterwards; hasta — I'll see you later; desde — of course, at once

lugar place, opportunity; dar — a to bring about

luna moon; — de miel honeymoon

luz light

LL

llamar to call, to attract

llamativo -a conspicuous, ' loud '

llegar to arrive, to reach

llegue, *etc. see* llegar

llenar to fill

llevar to carry, to bear, to have, to take, to wear; —se to carry off, to take (lead) away; — a mal to take ill, to disapprove of; ¿llevaban ustedes aquí mucho tiempo? had you been here long?

llorar to cry

M

madrastra stepmother

madre mother

madrina god-mother

magia magic; *see* comedia

magnífico -a splendid

mal ill, wrong, badly, scarcely; (*subst.*) evil, wrong

malamente unduly

maldad evil, harm, wicked thing

maldición curse

maledicencia slander

malhechor -ora ill-doer, evil doer; perverter

mal(o) -a bad, poor, wretched; ill

malvado scoundrel

mamá mother

mamita *dim. of* mamá

mandar to order, to command; to request, to tell; to send

manera manner, way; a mi — in my own way

mangonear to have one's finger in the pie

mano hand

manto cloak, outward appearance

Manuel *pr. n.* Manuel

mañana morning; (*adv.*) to-morrow

maquinilla; — de alcohol alcohol lamp

mar *m. or f.* sea

marcharse to go away

marea tide; — viva heavy tide *or* sea

mareo sea-sickness

María *pr. n.* Mary

marido husband

marinero sailor

marino sailor

mariposa butterfly

maroma rope, lifeline

marqués marquis; —es marquis and marchioness

marquesa marchioness

Marsellesa *pr. n.* Marseillaise (*French national anthem*)

Martín *pr. n.* Martin

mártir martyr; por lo — as far as being a martyr is concerned

martirio martyrdom

más more, most; no . . . — que only

matar to kill

materialmente in body

matinée (*French*) morning-dress

matrimonio marriage; married couple, man and wife

maullar to mew

mayor larger, greater, elder; las —es the greatest; (*subst.*) adult

medianoche midnight

medio middle (of), centre; means; en — de todo in spite of everything, after all; por — in between

medio -a half; —a hora half hour

mediodía noon, midday

medir (i) to measure, to weigh

mejor better, best; rather; lo — best, the best thing

mejorar to improve

mejoría improvement

melodrama melodrama

memoria memory

menos less, except; lo — the least; a *or* por lo — at least

mentira lie; parece — it doesn't seem possible

menudo -a slight, small

merecer to deserve

merezco *see* merecer

mes month

mesa table, booth; — de petitorio donation *or* alms table

meter to put; — miedo a to inspire fear (in), give a scare (to); —se meddle

mezclar to mix

Michito *pr. n. dim.* of micho cat (*translate* 'Kitty')

mí me, myself; — propio myself (*emphatic*)

miden *see* medir

miedo fear; tener — (a) to be afraid (of); tiene un — a he's scared stiff of; me da — I'm afraid (of)

miel honey

mientras while

Miguel *pr. n.* Michael
mil thousand
milagro miracle; **de (por) —** by
a miracle, miraculously
militar soldier
mimar to spoil, to pet
mimbre wicker
mimo excessive attention
mirar to look, to consider, to regard; **mal mirados** badly
thought of
misa Mass
miserable insignificant
miseria poverty
misión mission, task
mismo -a same, self; **lo — que**
the same as; **ya es lo —** it
doesn't make any difference
now
mitad half
moderno -a modern; **a la —a**
in a modern fashion
modestia modesty, resignation
modesto -a modest
moda fashion, style; **a la —**
fashionable, stylish
modo manner, way; **de ningún**
— by no means; **de otro —**
otherwise; **de — que** so that
modoso -a well-mannered
molestar to annoy, to offend; to
attack; **—se** to trouble oneself
molestia annoyance, trouble
momento moment
monada monkeyshine; **que es**
una — which is a wonder
monear to act smart, to flirt
monería ' cute ' thing
moralizador -ora moral
morganática (morganatic) wife
morir(se) (ue, u) to die
morito little Moor
mortificar to mortify

mosquito mosquito
mote witty remark; **nickname**
motivo cause
mozo lad, youth
muchacha girl
muchacho boy; **—s** boys, young
persons
mucho -a much, many; (*adv.*)
much; too much
muerto -a dead
mujer woman, wife; **—** my
dear (*in address*)
mundo world; **todo el —**
everybody, everyone; **por el —**
adelante out in the world
muñeca doll
murió *see* **morir**
música music
muy very

N

nacer to be born
nada nothing; anything; not at
all; **—, —** no, not at all; not
another word; **en —** in no
way
nadar to swim
nadie nobody, anybody
Natividad *pr. n.* Nativity
natural disposition, character
naturalmente naturally
naufragar to be wrecked, to suffer shipwreck
naufragio shipwreck
nazareno -a Nazarene, penitent,
repentant sinner (*person march-
ing as a penitent in the religious processions during
Holy Week*)
necesidad need
necesitar to need
negar (ie) to deny, to refuse;
—se a + *infin.* to refuse to
negro -a black

nervio nerve; **—s** nervousness
nervioso -a nervous
ni neither, nor; **— . . . — . . .**
neither . . . nor . . .
niego, *etc. see* **negar**
ningun(o) -a no, none; any;
neither
niña girl; **de —** as a girl
niño boy, child; **de —** when I
was small
noche night; **por la —** at night
Nochebuena *pr. n.* Christmas
Eve
nombrar to name, to mention
nombre name
notar to notice; to stigmatize;
— de to set down as
noticia news, bit of news
novedad novelty; **¿no hay —?**
is there anything new?
novela novel; yarn-spinning;
cosa de — just like a novel
novelesco -a romantic
novelón third-rate novel
novena novena (*religious devo-
tions lasting nine days*)
novio sweetheart, bridegroom;
—s sweethearts, bride and
groom
nueve nine; **las —** nine o'clock
número number
nunca never, ever; **como —** I
never was so well in my life

O

O: de la — *pr. n.*
o or
obediente obedient
obispa ' she-bishop '
obligar to oblige, to force
obra work, deed, act; play;
estar en — to be under
construction
obrador laundry

obrero workman
observar to observe
ocultar to hide
ocurrir to happen; **¿qué te
ocurre?** what's the matter?
ocho eight
odiar to hate
odioso -a hateful, contemptible;
me es — I dislike (him)
ofender to offend
oficio trade
ofrecer to offer
oiga *see* **oír**
oigo *see* **oír**
oír to hear; **no puedo —lo** I
won't have such talk
ojalá (y) would that, I hope that
ola wave
olvidar(se) (de) to forget
once eleven; **las —** eleven
o'clock
opinar to have an opinion
oportuno -a opportune, timely
Orán *pr. n. city of Algeria*
orden *f.* order(s), command; **a
las órdenes de** under
orden *m.* order, rank; **con —** in
orderly fashion
ordenado -a regular, regulated
orfeón choral society
orgulloso -a proud
otro -a other, another; **—a cosa**
anything else; *see* **tanto**
oye, *etc. see* **oír**
oyendo *see* **oír**

P

Pablo *pr. n.* Paul; **San —**
Saint Paul (*Saint Paul, ?–67?
A. D., apostle of the Gentiles
and the writer of various
epistles*)
padecer (de) to suffer (from)

padre father; **—s** parents; **es
toda a su —** she is just like
her father
pagar to pay, to reward
palabra word
pan bread
pantalón: —es bombachos
bloomers
papel paper, document
para for, to; **—** que in order
that, so that
parecer to seem; **lo más parecido** the next thing; **donde os
parezca** wherever you think
best; **¿qué te parece?** what
do you think of?
pareja pair, couple
parejita (*dim. of* **pareja**) young
couple
parezca *see* **parecer**
parte part; (en) **todas partes**
everywhere; **de — de** on behalf of; **de nuestra —** on our
behalf; **de algún tiempo a esta
—** for some time (past); **en
ninguna —** anywhere; **por
nuestra —** in our own direc-
tion; **por mi —** on my part,
on my behalf; **de mi —** for
me; **dar —** to report
particular private
partida game, match
partido match
pasado -a past, last
pasajero -a passing, fleeting
pasar(se) to pass, to go, to
happen; to grant; **¿qué te ha
pasado en esa mano?** what
happened to your hand?; **—
por** to experience; **—se** to
pass off; **pasen ustedes** go
(come) in; **¿cómo lo pasa
usted?** how are you enjoying
yourself?; **no sé lo que me**

pasa I don't know what is
the matter with me
pasear to exhibit; **—las** to
make an exhibition of oneself
pasión feeling
paso step, way; stage (*in the
Passion of Christ*); **de —** in
passing, on the way; **cerrar el
—** to block the way
pastelería pastry-shop
patata potato
patriarcal patriarchal
patrono skipper
pausa pause
paz peace
pecado sin
pecador -ora sinful
pecaminoso -a sinful, wicked
pecho breast, bosom, chest; **de
—** on the breast
pedazo piece, bit
pedir (i) to ask (for), to request,
to demand; to ask for con-
tributions
peinarse to comb one's hair
peligro danger
pelo hair
pena trouble; **me da —** it dis-
tresses me; I'm sorry for him
pendiente: — de waiting on
penetrar to penetrate; **— en** to
perceive, to see
pensamiento thought
pensar (ie) to think, to intend;
— en to think about; **muy
bien pensado** that's fine
pensión allowance
peor worse, worst
pequeño -a little; **las —as** the
little girls; **en —** to a smaller
degree; **de —** when I was
little; **de —as** when we are
little
percibir to perceive

perder (ie) to lose

perdición perdition, ruin

perdido: hecho un — like a regular good-for-nothing

perdón pardon, forgiveness

perdonar to pardon; Dios le haya perdonado God rest his soul

perdulario good-for-nothing

perecer to perish

periódico newspaper

perjudicar to cause loss

permiso permission, leave

permitir to allow

pero but; why

perseguir (i) to pursue, to annoy

perseverar to persevere

persona person; —s significadas 'best people'

personaje character

perspectiva prospect

pertenecer to belong

perturbado -a irrational, 'off'

perro -a vile, mean, low

pesar to weigh, to grieve; a — de in spite of; me pesa I'm sorry; no te pesaría you wouldn't regret it

peseta a Spanish coin normally worth approximately $0.19

pesetilla 'measly' peseta, paltry sum

peste: hablar —s to say mean things

petitorio request; see mesa

picotazo bite, sting

pido, etc. see pedir

pie foot, footing, basis

piensa, etc. see pensar

pierda, etc. see perder

pierde, etc. see perder

pillete rascal, rogue, scamp

pillo scamp

Pimentones pr. n. 'Pimentón gang' (pimentón means red pepper)

pinchar to prick, to goad on

pintar to paint; to turn out; —se to use cosmetics

pisar to set foot, to tread

plan plan

planchadora laundress

plato dish

playa beach, shore; — adentro well out from the beach

plaza (public) square

pleito lawsuit, controversy

pluma pen

pobre poor; los —s the poor

pobreza poverty

poco little; a — shortly after

poder to be able; to dominate, to overwhelm; — con to stand, to put up with; — más que to be more powerful than; puede que maybe, perhaps, it is possible that

podré, etc. see poder

podrirse to decay, to rot

político -a political; see primo

pon fam. imperat. sing. of poner

poner to put, to set up; —se to become; —se en ridículo to appear ridiculous; —se a + infin. to begin to; —se bien con to put oneself on good terms with; —se a mal con to get in wrong with; me pongo en I ask only; se le puso en la cabeza got the idea; —se a un oficio to take up a trade

por for, because of, on account of, for the sake of; in, into, to; on, about, through

porque because

por qué why

porquería contemptible sum
portarse to behave, to conduct oneself
porvenir future
poseedor possessor
posible possible; **no era —** simply couldn't get along
posición position, social standing
practicar to practice
preceptuar to dictate, to ordain
precio price
preciso -a necessary
predicación preaching, ranting
predicar to preach
preferible preferable
preferir (ie, i) to prefer
prefiero, *etc. see* **preferir**
prefirió *see* **preferir**
pregunta question
preguntar to ask, to inquire; **— por** to ask about
preparar to prepare
presenciar to witness
presentar to present
presidenta president, chairman
prestado -a borrowed
prestar to lend
presumir to suppose
pretender to try, to seek; **no pretendo que las quieras** I don't expect you to love them
prevenir to foresee, to anticipate
primer(o) -a **(en)** fiist (to); **como la —a** as anyone else
primo -a cousin; **— político** cousin by marriage
primito -a *dim. of* **primo**
principal prominent; **de lo más — by the ' best ' people**
principio principle, beginning
probar (ue) to prove, to be good (for), to agree (with)
proceder to proceed

procurar to try, to try to do, to try to bring it about, to see to it
profesión profession, statement, declaration
prohibir to prohibit, to forbid
prometido fiancé
pronosticar to prophesy, to fore-tell
pronto soon, quickly, at once; **de —** all of a sudden, unexpectedly
propiamente properly; **— como** just like
propio -a -self, fit, proper; **— de** becoming to
proponer(se) to propose
proporción proportion; **ha tomado unas proporciones has** grown so
propósito purpose, resolution; **a —** by the way; **a — de** apropos of, speaking of
propuesto *see* **proponer**
prosa prose
prosaico -a prosaic, drab, dull, ordinary
protección aid
proteger to protect, to help
proteja, *etc. see* **proteger**
protesta protest
protestar to protest
provechoso -a profitable
provenir to come
proviene, *etc. see* **provenir**
prudente careful, level headed
prueba, *etc. see* **probar**
prueba proof, test
pude, *etc. see* **poder**
pueblecito *dim. of* **pueblo**
pueblo village, town
puede, *etc. see* **poder**
puerta door
puertecilla *dim. of* **puerta**

puerto port, harbor; — **de mar** seaport
pues well
púlpito pulpit
puro -a pure, sheer, absolute, perfect

Q

que (*rel. pron.*) that, which, who, whom
que (*conj.*) for, because, since; than; *often not translated; see* **a**
qué (*interrog. and exclam.*) what (a); how; how much, how long; **a** — why; ¿**para** —? why should you?
quedar(se) to remain, to be left; **quedar en** to agree to; **quedamos en que eres** you say that you are; **de los que ya no quedan** of the sort not to be found these days
queja complaint
quejarse to complain
quemar to burn
querer to wish, to like, to be fond of, to love; to expect; **Dios no lo quiera** may God forbid it; ¿**qué quiere usted?** what do you expect?
querido -a dear, beloved
querré, *etc. see* **querer**
Querubín *pr. n.* Cherub
quien, quién who, whom
quiera, *etc. see* **querer**
quiero, *etc. see* **querer**
quince fifteen; **no estamos a** — it isn't the fifteenth
quise, *etc. see* **querer**
quisiera, *etc. see* **querer**
quitar to take away, to take off, to shorten; to quit, to stop;

¡**quita, quita!** get away from here!
quizá perhaps

R

ralea breed
Ramón *pr. n.* Raymond
rareza rarity; **qué** — how unusual
raspar to scrape, to grate
rayo beam, ray
razón reason; **tener** — to be right
razonable of reason, of discretion; sensible
real real (*a unit of reckoning, the fourth part of a peseta*)
realidad reality
rebelde rebellious
rebeldía rebelliousness, rebellion
recibir to receive, to meet, to let in
recién recently, just
recoger to reap, to harvest; to take in, to rescue; to get, to collect
recogido -a retired
recompensa compensation, reward
recordar (ue) to recall, to remember
recreo *see* **finca**
recto -a straight
recuerda *see* **recordar**
recuerde, *etc. see* **recordar**
recuerdo *see* **recordar**
recuerdo recollection, memory, reminder, souvenir, regard(s); **en** — as a reminder; **me daba** —**s para ustedes** she asked to be remembered to you
recurso recourse; **no queda otro** — **que** there is nothing to do but

rechazar to reject
redondo -a round; **en —** flatly
reducido -a limited
reducir to reduce
regalar to present, to give
regalo gift, present
regañar to quarrel
regio -a magnificent, wonderful
regla rule; **en —** in due form
reguapísimo -a extremely fine-looking
regular regular; **por lo —** ordinarily
rehacer to re-establish
reír(se)(i) to laugh; **—se de** to laugh at
relato account
religioso -a religious
relucir to glisten, to gleam; **salir a —** to be noised about, to become public; **sacar a — historias** to spread gossip
remalo -a low
remedio remedy, help; **no hay más — que contar con** we can't get out of including
remordimiento remorse
renta income
reñir (i) to quarrel; to scold
reparto cast, *dramatis personae*
Repelona (*nickname*) ' Hair-puller '
representación delegation
representar to represent; **no los representaba** he didn't look it
represión repression
reprimir to repress, to control
repugnante repugnant, distasteful
reservado -a private, secluded
resignación resignation
resignarse to be resigned, to give in
resistencia resistance

resolver (ue) to decide
respetabilidad respectability, dignity; **de —** of proved piety
respetable respectable, worthy of respect
respetar to respect, to abide by
respeto respect, reward; **las de — ** the ones that are never used
respetuoso -a respectful
responder (de) to answer (for)
responsabilidad responsibility
resto rest, remainder
resuelva, *etc. see* resolver
resultado result
retirar(se) to withdraw
reunión meeting, gathering
reunirse to meet
reventar (ie) to burst, to ' pass out '
revolotear to flutter
revolucionario -a revolutionary, rebel
revuelto -a *see* **tiempo**
rey king
rías *see* **reír**
ricamente richly, comfortably; **tan —** (very) well off, very comfortably
rico -a rich
ridiculizar to ridicule
ridículo -a ridiculous; *see* **poner**
riesgo risk, danger
rincón corner
rinconcito *dim. of* **rincón**
riñáis *see* **reñir**
rizar to curl
robar to rob
robustecerse to become strong
robustezca *see* **robustecerse**
rodear (de) to surround (by)
rodeo circumlocution; **sin —s** without beating about the bush

rodilla knee

romancero ballad singer (*who sings ballads for a living*)

romántico -a romantic; **mucho de —** much of the romantic; (*subst.*) romanticist

romper to break; **— a** to begin to, to burst out

roncar to snore

ropa clothes, clothing

ropero *see* cuarto

Rosalía *pr. n.* Rosalie

Rosendo *pr. n.*

rostro countenance

rubio -a fair

ruina ruin

ruiseñor nightingale

S

sábado Saturday

saber to know (how), to learn, to find out, to hear; to be able to; **qué sé yo las barrabasadas que hizo** I don't know how many outrageous things he did; **o qué sé yo dónde** or some place; **ya se sabe** it's the same old thing; of course

sabio learned man, savant

sacar to take out, to get; to call attention to; **— adelante** to bring up, to get out of difficulty; **— los pies del plato** to get out of hand

sacrificio sacrifice

sagrado -a sacred

sala living-room

saldré, *etc. see* salir

salga, *etc. see* salir

salgo *see* salir

salir to come out, to go out

saltar to jump; **— a la comba** to skip rope

salud health; **por mí —** I swear

saludar to greet; to speak to

salvación salvation

salvamento *see* barca

salvar to save

sangre blood

santidad piety

San Sebastián *fashionable Spanish resort on the Bay of Biscay*

Savonarola, Girolamo *pr. n. Italian preacher and reformer (1452-1498), who was executed for heresy*

sé *see* saber

sea, *etc. see* ser

secreto secret

secuestro kidnapping

sed *fam. imperat. pl. of* ser

seguida: en — immediately, at once

seguir (i) to follow, to continue; **¿sigue tan famoso?** is he as queer as ever?

según according to, as; **— dicen** I understand

segundo -a second

seguridad assurance

seguro -a sure, secure, safe; **de — surely; — que** surely

semana week

sembrar (ie) to sow

semilla seed

sentado -a seated

sentar (ie) to be becoming, to settle, to establish; **—se** to sit down, to settle down

sentido -a sensitive

sentimental emotional, of the feelings

sentimiento sentiment, feeling

sentir (ie, i) to feel, to think, to regret; **si sientes así** if you're as sensitive as that; **me siento genio protector** I feel myself to be a protecting genius

sentir opinion
señor gentleman; sir; Mr.
señora Mrs., madam; lady
(*usually not translated when used with titles*)
señorita Miss, young lady
sepa, *etc. see* saber
separar to separate; —se to separate, to part; —se de to leave
ser to be; es que the fact is that; — de to belong to
sereno -a serene, calm, cool
serio -a serious, respectable; en — seriously
sermón sermon
servicio service
servir (ie, i) to serve, to be of use; para — a usted yes; para —a ustedes how do you do; no — para (*or* de) nada to be good for nothing; — los bonos to fill the orders
severidad severity
severo -a severe
si if, whether; why, indeed
sí yes, indeed; espero que — I hope you are
siempre always; — que provided that; el de — the one we always get; lo de — the same old thing; para — forever
siento, *etc. see* sentir *or* sentar
siesta nap; (early) afternoon
siga, *etc. see* seguir
significado -a *see* persona
significar to signify, to mean; —se to draw attention to oneself
sigue, *etc. see* seguir
siguió *see* seguir
silencio silence
silla chair

simpatía sympathy, liking
simular to feign
sin without; — que without
sincero -a sincere
sino but, on the contrary
sintáis *see* sentir
sinvergüenza villain
siquiera even, at least; ni — not even, even
sirva, *etc. see* servir
sirvió *see* servir
sistema system
sitio place, spot
situación situation
sleeping (*Eng.*) Pullman car; sleeper
sobre over, above; besides
sobrina niece
sobrinilla *dim. of* sobrina
social social
socorrer to help (*when in danger, difficulty or distress*)
socorro relief, assistance
sofocón anger, shock
sol sun
solemne solemn
soler to be accustomed
solo -a alone, single; a solas alone
sólo only
soltero bachelor
sombrío -a gloomy
sonreír (i) to smile, to smirk
sonrisa smile
soñar (ue) to dream, to aspire to
soponcio fainting fit; les dará un — they will have a fit
soportar to endure, to bear
sorprender to surprise, to come upon, to find
sorpresa surprise
sospechar to suspect
sospechoso -a suspicious
sostener to maintain

Sr. *abbrev. for* **Señor** Mr.

Sra. *abbrev. for* **Señora** Madam

Srta. *abbrev. for* **Señorita** Miss

suave unctuous, ' slick '

suavidad gentleness, patience

subir to come up, to go up, to be active

suceder to happen

sucumbir to succumb

suele *see* **soler**

suelo ground

sueña, *etc. see* **soñar**

sueño sleep; **tener —** to be sleepy

suerte lot, good fortune; **por la — que le ha deparado** for her good fortune

sublevar to irritate

sufrir to suffer, to endure

sujetar to hold down, to restrain; **—se** to submit

sujeto -a tied down

sumar to add

sumo -a greatest; **a lo —** at the most

supersticioso -a superstitious

supiera, *etc. see* **saber**

supo *see* **saber**

suponer to suppose

supongo *see* **suponer**

suprimir to omit, to suppress

supuesto -a supposed; **por —** of course

surgir to arise, to appear

surtir to stock, to supply

T

taberna saloon

tacha blemish

tal such; **¿qué —?** how about?; **¿qué — la luna de miel?** how was the honeymoon?

talismán talisman, good luck charm

taller shop

también also, too

tampoco neither, not either, either

tan as, so

tanto -a as much, so much, so great; *(adv.)* so much; **otro —** an equal amount; **tantísimas gracias** ever so many thanks

tarasca hag

tardar (en) to take a long time (in), to be long (in); **no tardará** he'll be here soon

tarde afternoon, evening; **una — sí y otra no** every other afternoon; **buenas —s** good afternoon

tarde *(adv.)* late; **de — en —** from time to time

tartufo hypocrite (*Tartuffe is the leading character in the play of that name by the French dramatist, Molière, 1622–1673*)

taza cup

teatro theater; **— Lara** *a theater in Madrid known for the production of the lighter dramatic forms*

telégrafo telegraph office

tema motto

temer to fear

temible fearful, terrible

temperamento temperament

tempestad storm; **— deshecha** violent storm

templado -a cool, self-controlled, calmly courageous; **estoy —** I have my courage screwed up

templarse to be cool, to be self-controlled; to screw up one's courage

temporada season; **por —s** off and on

temprano -a early; *(adv.)* early

tender (ie) to spread (out)

tendré, *etc. see* tener

tenga, *etc. see* tener

tengo *see* tener

tener to have; — que to have to; — . . . años to be . . . old; ¿qué tienes? what's the matter?; ahí las tienes there they are; aquí tienes here is

tercero -a third

Teresa *pr. n.* Theresa; Santa — Saint Theresa (*Saint Theresa of Jesus, 1515–1582, celebrated woman mystic of Spain renowned for her writings " Las Moradas o Castillo Interior," " Camino de perfección," etc.*)

Teresita *dim. of* Teresa

terminar to end

término stage, ground; segundo — middle stage; tercer — backstage

tertulia (social) circle

terraza terrace

terreno soil

testigo witness

tía aunt

tiempo time, weather; — revuelto stormy weather

tienda shop, store

tiene, *etc. see* tener

tierra land, earth

tila linden flower tea (*used as a restorative*)

tintero ink-well

tío uncle; ' old '

tiro shot; dar un — to shoot

tirón (long) stretch

títere marionette; el de los —s the son of the showman

titiritero puppet-showman, juggler

todavía yet, still

todo -a all, whole; de — everything; sobre — especially

tolerancia sufferance, tolerance

tolerar to tolerate

toma *see* caridad

tomar to take, to get; — a mal to take ill, to be offended by; —la con to have it in for, ' to go after '; — cariño a to take a fancy to

tono tone

tontear to act silly

tontería trifle

torear to fight bulls

Toribio: Santo — *pr. n. an archbishop of Lima canonized in 1726*

torpe stupid, awkward, clumsy

Torquemada, Tomás de *pr. n. zealous prosecutor of the Inquisition whose severity has caused his name to be associated with pitiless fanaticism (1420–1498)*

trabajador -ora industrious

trabajar to work

traer(se) to bring, to fetch

traje dress, suit

traje *see* traer

tranquilidad tranquillity, peacefulness

tranquilo -a peaceful, calm, quiet, at rest

transigir to compromise, to put up with

transijo *see* transigir

trapisonda scrape, imbroglio

trasponer to go beyond

traspuesto -a *see* trasponser

trastornar to upset, to disturb

tratar to treat

travesura bit of mischief

trazar to trace, to draw

tremendo -a fearful, awful, terrible
tren train
tres three
tresillo *name of card game*
triste sad; (*adv.*) in an unhappy tone
tristeza sadness, misfortune
triunfar to triumph, to be victorious
tú *pron.* you
túnico tunic, robe
turno turn
tuve, *etc. see* **tener**
tuviera, *etc. see* **tener**
tuyo: los —s your family

U

ufano -a proud
último -a (en) last (to)
único -a only; **el —** the only one; **lo —** the only thing
unido -a (a) combined (with)
unión union; **en — de** together with
unir to unite, to combine
uno -a one; (*pl.*) some; **con unos y con otros** with anybody
urgente urgent; **lo —** the urgency
usar to use; **—se** to be worn
usted (es) *pron.* you
útil useful

V

va, *etc. see* **ir**
valer to be worth, to be of (any) use, to amount to; **— más** to be better; **válgame Dios** Good Lord; **si no vale la pena** it isn't necessary; **no valía para nada** (I) was no good; **no vale**

la verdad the truth is of no consideration
valor courage
vamos *see* **ir**
varón man; **santo —** good soul
vase (se va) exit
vaso glass, tumbler
vaya come, come!
vaya, *etc. see* **ir**
ve *fam. imperat. sing. of* **ver**
vea, *etc. see* **ver**
veces *pl. of* **vez**
veinte twenty
veinticinco twenty-five
vela sail; *see* **barco**
ven *fam. imperat. sing. of* **venir**
vencer to conquer
vendar to bandage
vender to sell
venga, *etc. see* **venir**
venid *fam. imperat. pl. of* **venir**
venir to come; **vengan** let's have, come through with; **¡cómo vienes!** just look at you?
ventajoso -a advantageous, desirable
ver to see; **—se** to be; **ya se ve** you see; **(vamos) a —** let's see; **a — si** we'd see if; **tú verás dónde guardas** be careful where you keep
veraneante summer visitor
veraneo summer vacation, summering
veras: de — real, 'honest-to-goodness'
verdad true; **algo —** something that you really mean
verdad truth; **¿—?** isn't that so?; **¿— que sí** won't you?
verdadero -a true, real, genuine
vergonzoso -a humiliating
vergüenza shame, disgrace

verja grating, iron-railing

verso verse, line; (*pl.*) poetry

vestido dress

vestir(se) (i) to dress

vete *fam. imperat. sing. of* **irse**

vez time; **de una —** once and for all; **(de) esta —** this time; **dos veces** twice

viaje trip, journey; **— de novios** bridal journey

victorioso -a victorious

vida life, manner of living

viejo -a old; (*subst.*) old man

viene, *etc. see* **venir**

viento wind

viera, *etc. see* **ver**

viernes Friday; **— Santo** Good Friday

vine, *etc. see* **venir**

violencia compulsion

virtud virtue

virtuoso -a honorable

visión vision

visita visit, call

visitar to visit, to call upon

vista *see* **anteojo**

viste, *etc. see* **vestir**

viste *see* **ver**

visto *p. p. of* **ver: por lo —** apparently

vituperio insult, censure, reproach

viuda widow

viudo widower; **de recién —** when one has been recently widowed

vivir to live

vivo -a alive; quick; **— de genio** vivacious, quick-tempered

voces *see* **voz**

voltereta somersault

volteriano -a like Voltaire, iconoclastic

voluntad will, willingness

voluntarioso -a wilful

volver (ue) to return; **— a** + *inf. to perform again the act indicated by the infinitive, as* **no volverá a suceder** it will not happen again

voy *see* **ir**

voz voice, shout

vuelto *see* **volver**

vuelva, *etc. see* **volver**

Y

ya now, already; presently, shortly, in due time, later; of course; **— no** no longer; **— que** since

Z

Zapaquilda *pr. n. see the note to p. 22, l. 13*

zumbar to buzz

Zurita *pr. n.*